© 2007 AC Management SA (Sucursal España) y Lunwerg
  © de los textos: AC Management SA
  © de las ilustraciones: AC Management SA

Creación, diseño y realización de Lunwerg.
Reservados todos los derechos.
Prohibida la reproducción total o parcial sin la debida autorización.

Coordinación Editorial: Marta Papiol
Diseño Gráfico: Susana Pozo

ISBN: 978-84-9785-312-5
      978-84-9785-334-7 (edición de lujo)
Depósito legal: B-6475-2007

LUNWERG
Beethoven, 12 - 08021 BARCELONA - Tel.: 93 201 59 33 - Fax: 93 201 15 87
Luchana, 27 - 28010 MADRID - Tel.: 91 593 00 58 - Fax: 91 593 00 70
Callejón de la Rosa, 23. Tlacopac, San Ángel - 01060 MÉXICO, D.F. - Tel./Fax (52-55) 5662 5746

Impreso en España

Prefacios Michel BONNEFOUS Robert PROCOP David CHIPPERFIELD Rita BARBERÁ Olin J. STEPHENS Dyer JONES Brad BUTTERWORTH Javier MARISCAL

Fotografías Carlo BORLENGHI Francesco FERRI Stefano GATTINI Hilton BROTHERS Miracle CANDELA Jorge ANDREU Vicent BOSCH

32nd AMERICA'S CUP

MICHEL BONNEFOUS
CEO 32nd America's Cup Presidente de la 32.ª America's Cup

Before Alinghi even started to race for the 31st America's Cup we had a vision about what we would do if we were fortunate enough to win. Our vision was to make this 32nd America's Cup the best ever, extend and adapt it into Europe, bring it closer to the public, power on the excitement.

Suddenly, with Alinghi's big victory back in March 2003, and with the Cup in our hands, our dreams had come true and our vision for the future had to be turned into reality. The dance of the 32nd America's Cup was on.

Part of our vision was to choose a venue where the racing would be consistent and on cue, where teams could operate efficiently, and where people could come and soak up the atmosphere. We chose Valencia and together we built Port America's Cup.

Part of our vision was also to use the years building up to the 32nd America's Cup Match to bring the excitement and values of this incredible event to a wider public. In practical terms we extended the event in time and territory to run no fewer than 13 Louis Vuitton Acts in four cities around Europe throughout a four-year cycle. We created the America's Cup on the road and explored a complete new world.

Now as we approach the climax, and Alinghi's first defence, the vision has all but become a reality.

All of the parts are working. Sufficient dress rehearsals have been held to iron out the bugs. The impressive Port America's Cup facility, with its 12 team bases, 42 Superyacht berths and 640 marina berths is finished. The wind has been reliable, the public have come in their tens of thousands every race day. With all manner of activities and attractions, restaurants, bars, night clubs, museums, viewpoints, the beach, shopping, strolling, being seen, watching—Port America's Cup has it. It's the place to be.

And still to come is the climax of a high-tech, mechanised competition played out by the very best people at the top of their game in the most impressive yachts, with the emotion and passion that only sport can bring. The whole is surrounded by larger-than-life personalities, drama, intrigue and colour.

Within the pages of this book we have told our story pictorially. Across several chapters we have presented some of the many aspects of the event we have managed. I am proud to say that it is not without some emotion that we look towards the final countdown and what will surely be a surprising legacy to Alinghi's victory in 2003.

Antes de que Alinghi comenzara a navegar por la 31ª America's Cup, ya teníamos una idea sobre lo que íbamos a hacer si fuéramos tan afortunados como para ganar. Queríamos que esta 32ª America's Cup fuera la mejor de todos los tiempos, ampliarla y adaptarla a Europa, acercarla al público, aumentar la emoción.

De repente, con la victoria de Alinghi en marzo de 2003 y con la America's Cup en las manos, nuestros sueños se habían hecho realidad. Debíamos convertir las ideas de futuro en hechos. Había comenzado el baile de la 32ª America's Cup.

Parte de nuestra idea era elegir una sede en la que las regatas fueran constantes y a una hora precisa, donde los equipos pudieran trabajar de forma eficiente y donde los visitantes pudieran empaparse del ambiente. Elegimos Valencia y entre todos construimos el Port America's Cup.

Otra de nuestras aspiraciones era utilizar los años que faltaban hasta el America's Cup Match para llevar la pasión y los valores de este acontecimiento increíble a un público más amplio. Y en la práctica, hemos extendido el evento en el espacio y el tiempo para organizar nada menos que 13 Louis Vuitton Acts en cuatro ciudades de Europa a lo largo de cuatro años. Hemos creado una America's Cup itinerante y explorado un mundo totalmente nuevo.

Ahora, conforme nos acercamos al clímax y a la primera defensa de Alinghi, nuestro anhelo se ha materializado.

Todas las piezas encajan y hemos organizado todos los ensayos generales necesarios para pulir cada detalle. El impresionante Port America's Cup, con las bases de los 12 equipos, los 42 amarres para superyates y los otros 640 de la marina, está terminado. El viento ha sido constante y decenas de miles de personas nos han visitado en los días de regata. Sin duda, toda la gama de actividades, atracciones, restaurantes, bares, terrazas, museos, miradores; junto a la playa, las tiendas, los paseos, y las posibilidades de ver y ser visto, han convertido el Port America's Cup en el lugar donde hay que estar.

Y aún nos queda la cúspide de un trofeo de alta tecnología en la que sólo compiten los mejores, a bordo de los barcos más sofisticados. Una competición que proporciona esa emoción, esa pasión, que sólo el deporte puede despertar. Y todo rodeado por grandes personajes, drama, intriga y color.

En las páginas de este libro contamos nuestra historia en imágenes. A lo largo de sus capítulos presentamos algunos de los muchos aspectos del evento que hemos llevado a cabo. Estoy orgulloso de decir con emoción que nos acercamos a la última cuenta atrás, al sorprendente legado de la victoria de Alinghi en 2003.

© 2007 AC Management SA (Sucursal España) y Lunwerg
  © de los textos: AC Management SA
  © de las ilustraciones: AC Management SA

Creación, diseño y realización de Lunwerg.
Reservados todos los derechos.
Prohibida la reproducción total o parcial sin la debida autorización.

Coordinación Editorial: Marta Papiol
Diseño Gráfico: Susana Pozo

ISBN: 978-84-9785-312-5
       978-84-9785-334-7 (edición de lujo)
Depósito legal: B-6475-2007

LUNWERG
Beethoven, 12 - 08021 BARCELONA - Tel.: 93 201 59 33 - Fax: 93 201 15 87
Luchana, 27 - 28010 MADRID - Tel.: 91 593 00 58 - Fax: 91 593 00 70
Callejón de la Rosa, 23. Tlacopac, San Ángel - 01060 MÉXICO, D.F. - Tel./Fax (52-55) 5662 5746

Impreso en España

1 America'sCup
theTrophy**el**Trofeo

technologytecnología
4

architecture**&**design | **2**
arquitectura**y**diseño

5
aninternational**route**
unrecorridointernacional

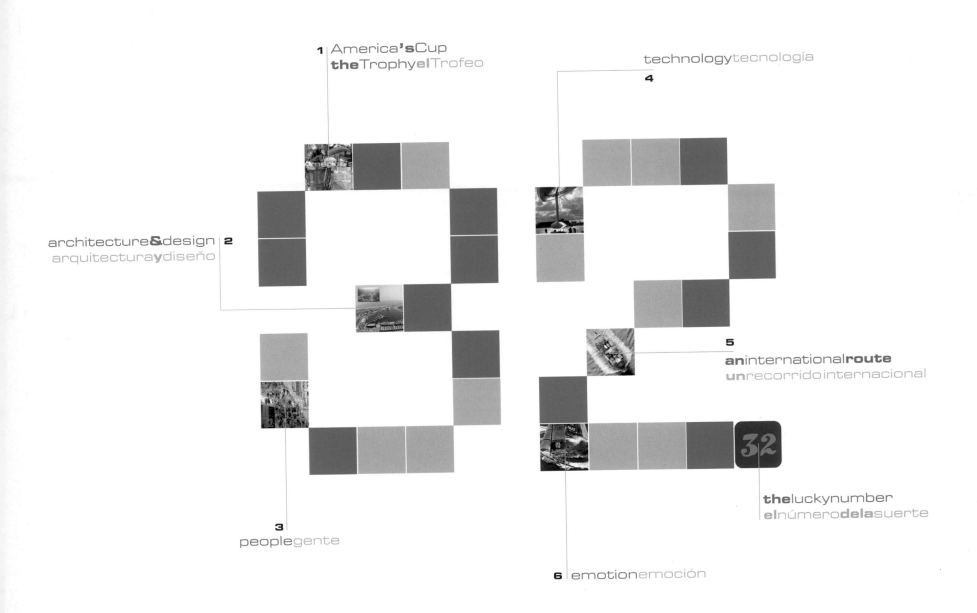

32

theluckynumber
elnúmero**dela**suerte

3
peoplegente

6 | emotionemoción

summarysumario

America'sCup
theTrophy**el**Trofeo

ROBERT PROCOP
CEO GARRARD-The Crown Jeweller Presidente de Garrard-Joyero de la Corona

The art of crafting silver is one of the oldest known to man. It is steeped in history, techniques being handed down through masters to apprentices and by word of mouth and example rather than through text books and formal education processes. The craftsman must have an artistic flair, a meticulous approach to quality and must show at all times a rigour towards the disciplines and values associated with the raw materials.

The same could be said about the craftsmen that are the America's Cup Class sailors — the artistic flair is that sixth sense that only the top sportsmen have, the meticulous approach is in the choices made in training, in racing and in designing and constructing new race boats, and the discipline that is associated with any competition but most of all a discipline when handling the wind and the sea.

Garrards have been the Crown Jeweller for more than 150 years. In 1848, near the beginning of this long period, Robert Garrard's mark was struck onto a silver ewer. Three years later the same ewer was presented by the 1st Marquess of Anglessey to the Royal Yacht Squadron and was to be awarded as a prize for a race around the Isle of Wight, at the time by far the most significant international meeting of yachtsmen that had ever taken place. Fittingly the most advanced racing yacht of the time, the America, won the trophy.

Since that time the trophy, under its new name the America's Cup, has been held in trust by an elite group of the most successful yacht clubs of the world. Currently it is held by the Societé Nautique de Genève. There are always many pretenders but how long it will take for one of these to become the new Defender nobody knows.

As the America's Cup travels around the world this symbolic icon continues to turn heads and to cause people to speak quietly when in its presence. It feeds endless imaginations, not only because of its physical stature but because of the enormous and priceless effort that has been made in the pursuit of winning it.

A piece of art called America's Cup

El arte de la orfebrería es uno de los más antiguos conocidos por el hombre. En su historia, las técnicas han pasado de maestros a aprendices a través de la tradición oral y el ejemplo, y en libros de texto y procesos educativos tradicionales. El orfebre debe tener instinto artístico, buscar la calidad meticulosamente y demostrar siempre rigor en las disciplinas y valores asociados a las materias primas.

Lo mismo se podría decir de esos artistas que son los tripulantes de la America's Cup. El instinto artístico es ese sexto sentido que sólo tienen los deportistas de elite y la búsqueda meticulosa son sus elecciones en los entrenamientos, en las regatas, en el diseño y construcción de los barcos, y en la disciplina asociada a cualquier competición y, especialmente, cuando se maneja el viento y el mar.

Los Garrard han sido los joyeros de la Corona durante más de 150 años. En 1848, poco antes del comienzo de este largo periodo, la marca de Robert Garrard fue impresa en un aguamanil de plata. Tres años después, esa misma jarra fue donada por el primer marqués de Anglessey al Royal Yacht Squadron para que fuera el trofeo al ganador en una regata alrededor de la Isla de Wight. En aquel momento era, con diferencia, el encuentro internacional de navegantes más importante jamás disputado. Conocida por ser el barco más avanzado de su tiempo, la goleta «America» ganó.

Desde entonces, el trofeo, con su nuevo nombre, la America's Cup, ha estado en posesión de una elite, la de los mejores clubes náuticos del mundo y en la actualidad está en manos de la Societé Nautique de Genève. Siempre habrá muchos pretendientes, pero quién sabe cuánto tiempo pasará hasta que alguno de ellos se convierta en el defensor.

En sus viajes alrededor del mundo, este icono sigue provocando admiración y susurros entre quienes están ante él. Alimenta imaginaciones sin fin, no sólo por su estatura física, sino por el enorme e incalculable esfuerzo invertido en la lucha por su posesión.

Una obra de arte llamada America's Cup

a's Cup
CUP XXXI - FEBRUARY
NEW ZEALAND
ZEALAND YACHT SQ
VS
ALINGHI
NAUTIQUE DE GENE
SE - WON BY
Y.Y.C. VS. SHAMROCK V. ROYAL ULSTER
EWARD AND RETURN - WON BY ENTER
RIANGLE TEN MILES TO LEG - WON BY
ALIA. SUN
OYAL P

1 The 100 Guinea Cup, first won by the schooner "America" in 1851, is now the oldest sports trophy in existence.

2 On 2ⁿᵈ March, 2003, Alinghi, led by Syndicate Head Ernesto Bertarelli, made history when it defeated Team New Zealand in Auckland.

3 Geneva is the European home of dozens of international organizations like the Red Cross, the WTO and the WHO— and since 2003, the America's Cup.

4 Valencia has the 32ⁿᵈ America's Cup and the world can now discover the city's long trading history and emblematic buildings such as the "Lonja", site of the ancient local silk trade.

5 In 2004 the Port of Marseille marked the beginning of the 32ⁿᵈ America's Cup.

6 Italy became the fourth European country to host America's Cup races with the Trapani Louis Vuitton Acts 8 & 9.

7 Two great symbols of victory in Paris – L'Arc de Triomphe and the America's Cup.

8 The America's Cup and the Louis Vuitton Cup on a section of the 6350 km Great Wall of China. The 32ⁿᵈ America's Cup is the first edition to include a Chinese team.

9 The most important sailing trophies stand before the statue of Alfonso XII, great-grandfather of His Majesty the King Juan Carlos, in the "Parque del Retiro", Madrid.

10 The America's Cup seems to contemplate the great changes in the city; New York was its home for 132 years, from 1851 to 1983.

11 The Olympic Park in Munich, a magnificent work of architecture, and the America's Cup, a monumental trophy. Germany is participating in the Cup for the first time.

12 "Valence!" On 26ᵗʰ, November, 2003 Valencia was euphoric to hear the news of its selection as official Host City of the 32ⁿᵈ America's Cup.

1   La Jarra de las 100 Guineas, conquistada en primer lugar por la goleta America en 1851, es el trofeo deportivo más antiguo que existe.

2   Alinghi, y su fundador, Ernesto Bertarelli, hicieron historia el 2 de marzo de 2003 cuando el equipo suizo derrotó a Team New Zealand en Auckland.

3   Ginebra es el corazón de la ONU en Europa, del Comité Internacional de la Cruz Roja, de la Organización Mundial del Comercio, de la de la Salud, de la del Trabajo… y, desde 2003, de la America's Cup.

4   Valencia alberga la 32.ª America's Cup y ahora el mundo puede conocer su larga tradición comercial y edificios emblemáticos como la Lonja, el espacio donde antiguamente se comerciaba con la seda.

5   En 2004, el puerto de Marsella marcó el comienzo de la 32.ª America's Cup.

6   Italia se convirtió en el cuarto país europeo en acoger regatas de la America's Cup con la celebración de los Trapani Louis Vuitton Acts 8 & 9.

7   Dos símbolos de la victoria, en París. El Arco del Triunfo y la America's Cup.

8   La America's Cup y la Louis Vuitton Cup, en alguno de los 6.350 kilómetros de la Gran Muralla. La 32ª America's Cup es la primera con un desafío chino.

9   Los trofeos más importantes de la vela, en el parque del Retiro de Madrid, frente a la estatua de Alfonso XII, bisabuelo de Su Majestad el Rey Don Juan Carlos.

10   La America's Cup parece observar lo mucho que ha cambiado Nueva York, la ciudad que fue su hogar durante 132 años, de 1851 a 1983.

11   El Olympic Park de Munich es una obra arquitectónica magnífica y la America's Cup, un trofeo monumental. Alemania afronta su primera participación en la competición.

12   «Valence!» El 26 de noviembre de 2003, Valencia estalló de júbilo al ser elegida Ciudad Sede de la 32.ª America's Cup.

architecture&design
arquitecturaydiseño

DAVID CHIPPERFIELD
Architect Arquitecto

The commission to design the Edificio Veles e Vents for the America's Cup gave me the opportunity to witness the extraordinary beauty and elegance of the America's Cup boats.

Architects have always been inspired by the products of industrial design for their use of technology and the deterministic process of their design. Planes, bridges and cars have always been admired for the directness of their response to their task. While many of these objects are increasingly contaminated by other formalistic and stylistic concerns, the design of racing boats must be one of the 'purest' tasks. Their design is dominated by a singular performance requirement. While other vehicles can be designed for speed, none has to draw so completely on the physical elements (wind and water). Furthermore, the design of these boats is not complicated by other requirements of accommodation or comfort, only to allow for the 17 crew members to be located and perform their tasks.

In designing buildings, we must deal with complex and often contradictory requirements. Our aspiration is always to organise different functional and technical requirements into a coherent and singular idea. It is only when we can give clarity to the task and when our ambitions are well described that our designs can have meaning and idea.

It is the singularity of purpose and the need to control the wind that ensures the beauty of these extraordinary craft. Uncontaminated by other considerations, the evolution of their design has been dominated by finding the dynamic relationship between sail, hull and keel. While we are surrounded by so much design that is concerned with arbitrary form-making and styling and where most of this effort is to draw attention, the design of these beautiful objects seems to recall the clarity of another time.

While we cannot transfer this singularity of purpose to design tasks that contain more complex criteria, we can take inspiration from their example. Furthermore, while we so often lament the loss of traditions and crafts and the replacement of traditional materials with (inferior) new ones, in these boats we can witness the application of new techniques and materials that demonstrate their own beauty. The technical advances that are promoted in the development of these boats, for example, hardly exists in building construction, where material and technical advances develop much more slowly, with greater resistance and with less inventiveness.

For those of us that share some passion for sailing and for design, there are few objects that are so pleasing to the eye, the mind and the body as these extraordinary America's Cup boats. We must pay tribute to those who design and sail them and to those dedicated to maintaining and developing this extraordinary competition in its 32nd edition.

Why aren't buildings as beautiful as boats?

La misión de diseñar el Edificio Veles e Vents me dio la oportunidad de ser testigo de la extraordinaria belleza y elegancia de los barcos de la America's Cup.

Los arquitectos siempre se han inspirado en productos del diseño industrial para el uso de la tecnología y en el proceso determinista de su propio diseño. Los aviones, los puentes y los automóviles siempre han sido admirados por la franqueza con la que respondían a su función. Mientras muchos de estos objetos ahora están contaminados por aspectos formales y estilísticos, el diseño de barcos de regata permanece como una de las funciones más «puras». Su diseño está dominado por la exigencia del rendimiento. Otros vehículos pueden estar diseñados para la velocidad, pero ninguno debe ajustarse tanto a los elementos físicos (el viento y el agua). Más aún, el diseño de estos barcos no se complica con otros condicionantes como la comodidad y el espacio, sólo se destina el necesario para que los 17 miembros de la tripulación se sitúen para cumplir con su misión.

En el diseño de edificios debemos trabajar con requisitos complejos y, en ocasiones, contradictorios. Nuestra aspiración siempre es organizar diferentes exigencias funcionales y técnicas en una idea coherente y singular. Sólo cuando conseguimos aclarar nuestra misión y nuestras ambiciones están bien descritas, podemos dar un significado y una idea a nuestros diseños.

Es la singularidad de su función y la necesidad de controlar el viento la que asegura la belleza de este arte extraordinario. Sin estar contaminada por otras consideraciones, la evolución de su diseño ha estado dominada por la búsqueda de la relación dinámica entre la vela, el casco y la quilla. Nosotros estamos rodeados de diseño condicionado por las formas arbitrarias del estilo en el que gran parte del esfuerzo se enfoca en atraer la atención, sin embargo el diseño de estos hermosos objetos parece rememorar la claridad de otro tiempo.

Pese a que nosotros no podemos trasladar esta singularidad de la función a tareas que contienen criterios más complejos, podemos inspirarnos en su ejemplo. Más aún, mientras nos lamentamos por la pérdida de la tradición, las artes y los materiales tradicionales y su sustitución por otros nuevos (inferiores), en estos barcos podemos ver cómo la aplicación de las nuevas técnicas y materiales conforman su propia belleza. Los avances técnicos promovidos por el desarrollo de estos barcos, raramente existen en la construcción de edificios, donde los avances en técnicas y materiales se desarrollan mucho más despacio, con más resistencia y menos inventiva.

Para aquellos de nosotros que compartimos la misma pasión por la vela y el diseño, hay pocos objetos que sean tan placenteros al ojo, la mente y el cuerpo como estos extraordinarios barcos de la America's Cup. Debemos homenajear a aquellos que los diseñan y los hacen navegar y a aquellos dedicados a su mantenimiento y desarrollo en la 32.ª edición de este trofeo extraordinario.

¿Por qué los edificios no son tan hermosos como los barcos?

← Louis Vuitton Store-Tienda
Nespresso Bar
Trofeos / Trophies

1 From November 2003 (inset) to June 2006, Valencia opened up to the sea to host the most important sporting event in its history.

2 10 500 square metres of leisure, style and minimalist art. The four floors of the Veles e Vents building represent a complex fusion of architecture and fantasy.

3 The building was designed by David Chipperfield and Fermín Vázquez and took shape over eight months, quickly becoming the architectural landmark of the 32nd America's Cup.

4 "The ground folds over; one part rises in a straight angle and the next meets it parallel. It then gives way to another perpendicular." (Julio Cortazar, Instructions for Climbing the Stairs)

5 The apparent simplicity of the straight lines is actually the result of a complex work of engineering.

6 The original designers of the Port sheds in 1910 would never have imagined that 97 years later their buildings would stand alongside the most important sailing crews in the world.

7 The team bases protect their best kept secrets: the boat designs, their racing strategies, and their battle plan.

8 The team buildings project real character; a detail of the teak façade of United Internet Team Germany.

9 An endless range of colours at the 32nd America's Cup. Desafío Español 2007 is the green team.

10 12 teams, 12 bases: the home of over 1500 professionals.

11 At night Port America's Cup may appear calm but behind the doors at BMW ORACLE Racing they are working around the clock.

12 Chic culture and chilled champagne are plentiful to toast a victory in the most exclusive hospitality areas.

13 The Mascalzone Latino — Capitalia Team guest lounge awaits the arrival of its visitors. In a few hours all eyes will be on the race.

14 In Alinghi's base there is a reason for everything: the logo on the ceiling, the colours on the floor, the team in the background.

15 Renzo Piano created a living work of art for Luna Rossa— a poem by Federico García Lorca: "When the moon comes out, and the sea covers the land, the heart is like an island in infinity."

16 The tail of the dragon stands out above the scaffolding at the China Team base.

17 Mascalzone Latino actually means "Latin rascal", but the team is no joke; they are in Valencia to win.

18 Day after day the German team built their operational base, with one clear objective: to be among the best.

19 100 people work inside this great base— all to ensure that the 17 crew members sailing the boat will reach the highest level.

20 Attacking with black— the Swedish Victory Challenge is unmistakable.

21 France selected a discreet grey for what will be their tenth consecutive attempt to claim the great trophy.

22 New Zealand has literally sailed to the other side of the world and back to recover what it lost four years ago, and no expense has been spared.

23 A harmony of ideas covering the Luna Rossa base, made up of 485 panels constructed with sails used in the Louis Vuitton Cup 2002/2003.

24 Form, function and technology come together at BMW ORACLE Racing.

25 Team Shosholoza represents a nation, a team, a dream!

26 The Italian team +39 Challenge can be defined by one word: sacrifice!

27 The 9375 m² Alinghi base stands tall in Port America's Cup; a real projection of power.

1 Entre noviembre de 2003 (en el recuadro) y junio de 2006, Valencia se transformó y abrió al mar para acoger su cita deportiva más importante.

2 10.500 metros cuadrados de ocio, estilo y arte minimalista. Las cuatro plantas del Veles e Vents esconden una compleja aleación de arquitectura y fantasía.

3 El edificio diseñado por David Chipperfield y Fermín Vázquez creció en ocho meses para convertirse en el hito arquitectónico de la 32.ª America's Cup.

4 «El suelo se pliega de manera tal que una parte sube en ángulo recto y la siguiente se coloca paralela al plano, para dar paso a una nueva perpendicular». (Julio Cortazar, «Instrucciones para subir una escalera».)

5 La aparente sencillez de las líneas rectas del Veles e Vents es el resultado de un complejo trabajo de ingeniería.

6 Quienes proyectaron los tinglados del Puerto de Valencia en 1910 no podían imaginar que 97 años después compartirían espacio con las mejores tripulaciones del mundo.

7 Las bases ocultan los secretos mejor guardados de los contendientes: los diseños de los barcos, sus estrategias para la regata, su plan de batalla.

8 Los equipos se visten con materiales que rezuman personalidad. Aquí, un detalle de la marinera madera de teca de la base de United Internet Team Germany.

9 La paleta de colores de la 32.ª America's Cup no tiene fin. El Desafío Español 2007 es el equipo verde.

10 12 equipos, 12 cuarteles generales, el hogar de más de 1.500 profesionales.

11 El Port America's Cup parece tranquilo al atardecer, pero en el interior de la casa de BMW ORACLE Racing se trabaja sin descanso.

12 Mucha clase y champagne para brindar por la victoria en el área más exclusiva de cada base.

13 El espacio de invitados de Mascalzone Latino espera la llegada de sus visitantes. En unas horas, todos estarán pendientes de la regata.

14 En la base de Alinghi nada es por azar. En el techo su anagrama, en el suelo sus colores, al fondo… el equipo.

15 Renzo Piano creó para Luna Rossa una obra viva, un poema de Federico García Lorca: «Cuando sale la luna, el mar cubre la tierra y el corazón se siente isla en el infinito».

16 Sobre el esqueleto de la base de China Team se intuye la cola del dragón.

17 Mascalzone Latino significa «granuja latino», pero este equipo no es ninguna broma, llegó a Valencia en busca de la victoria.

18 Día a día, el equipo alemán se fue construyendo una base de operaciones a la altura de las mejores.

19 Una gran base y más de 100 personas trabajando en su interior, todo para que los 17 hombres que tripulan el barco español lleguen a lo más alto.

20 La agresividad del negro hace inconfundible al equipo sueco.

21 Francia optó por la discreción del gris en su décimo intento consecutivo de conseguir el gran trofeo.

22 Nueva Zelanda navegó hasta sus antípodas para recuperar lo perdido cuatro años antes y no escatimó en recursos.

23 Una sinergia de ideas cubrió la base de Luna Rossa con 485 paneles confeccionados con las velas utilizadas en la Louis Vuitton Cup 2002/2003.

24 Seriedad y tecnología, BMW ORACLE Racing.

25 Team Shosholoza representa a una nación, un equipo, ¡un sueño!

26 El desafío italiano +39 Challenge se puede definir en una palabra: sacrificio.

27 Los 9.375 metros cuadrados de la base de Alinghi se levantan sobre el Port America's Cup como una demostración de poder.

peoplegente

1 Entre noviembre de 2003 (en el recuadro) y junio de 2006, Valencia se transformó y abrió al mar para acoger su cita deportiva más importante.

2 10.500 metros cuadrados de ocio, estilo y arte minimalista. Las cuatro plantas del Veles e Vents esconden una compleja aleación de arquitectura y fantasía.

3 El edificio diseñado por David Chipperfield y Fermín Vázquez creció en ocho meses para convertirse en el hito arquitectónico de la 32.ª America's Cup.

4 «El suelo se pliega de manera tal que una parte sube en ángulo recto y la siguiente se coloca paralela al plano, para dar paso a una nueva perpendicular». (Julio Cortázar, «Instrucciones para subir una escalera».)

5 La aparente sencillez de las líneas rectas del Veles e Vents es el resultado de un complejo trabajo de ingeniería.

6 Quienes proyectaron los tinglados del Puerto de Valencia en 1910 no podían imaginar que 97 años después compartirían espacio con las mejores tripulaciones del mundo.

7 Las bases ocultan los secretos mejor guardados de los contendientes: los diseños de los barcos, sus estrategias para la regata, su plan de batalla.

8 Los equipos se visten con materiales que rezuman personalidad. Aquí, un detalle de la marinera madera de teca de la base de United Internet Team Germany.

9 La paleta de colores de la 32.ª America's Cup no tiene fin. El Desafío Español 2007 es el equipo verde.

10 12 equipos, 12 cuarteles generales, el hogar de más de 1.500 profesionales.

11 El Port America's Cup parece tranquilo al atardecer, pero en el interior de la casa de BMW ORACLE Racing se trabaja sin descanso.

12 Mucha clase y champagne para brindar por la victoria en el área más exclusiva de cada base.

13 El espacio de invitados de Mascalzone Latino espera la llegada de sus visitantes. En unas horas, todos estarán pendientes de la regata.

14 En la base de Alinghi nada es por azar. En el techo su anagrama, en el suelo sus colores, al fondo... el equipo.

15 Renzo Piano creó para Luna Rossa una obra viva, un poema de Federico García Lorca: «Cuando sale la luna, el mar cubre la tierra y el corazón se siente isla en el infinito».

16 Sobre el esqueleto de la base de China Team se intuye la cola del dragón.

17 Mascalzone Latino significa «granuja latino», pero este equipo no es ninguna broma, llegó a Valencia en busca de la victoria.

18 Día a día, el equipo alemán se fue construyendo una base de operaciones a la altura de las mejores.

19 Una gran base y más de 100 personas trabajando en su interior, todo para que los 17 hombres que tripulan el barco español lleguen a lo más alto.

20 La agresividad del negro hace inconfundible al equipo sueco.

21 Francia optó por la discreción del gris en su décimo intento consecutivo de conseguir el gran trofeo.

22 Nueva Zelanda navegó hasta sus antípodas para recuperar lo perdido cuatro años antes y no escatimó en recursos.

23 Una sinergia de ideas cubrió la base de Luna Rossa con 485 paneles confeccionados con las velas utilizadas en la Louis Vuitton Cup 2002/2003.

24 Seriedad y tecnología, BMW ORACLE Racing.

25 Team Shosholoza representa a una nación, un equipo, ¡un sueño!

26 El desafío italiano +39 Challenge se puede definir en una palabra: sacrificio.

27 Los 9.375 metros cuadrados de la base de Alinghi se levantan sobre el Port America's Cup como una demostración de poder.

peoplegente

RITA BARBERÁ NOLLA

Mayor of Valencia Alcaldesa de Valencia

A city looking to the future

We Valencians are people with an international outlook, eager to show the world our dynamism, our modernity and our position in the avant-garde.

Four years ago, we decided that we wanted to host the most prestigious sailing competition in the world — the 32nd America's Cup — and we got it. Today we are welcoming the world to one of Europe's most dynamic cities. We are projecting our image through tourism and social and cultural projects.

The America's Cup is a universal event that is enabling thousands of people to discover the new Valencia. This is a city that we now present with pride; one that has developed a unique personality— fun, creative, integrative and hospitable. It is a city that has preserved the essence of the past, whilst enjoying a magnificent present, all the while striving towards an excellent future.

The arrival of the 12 teams and their families to our city has transformed Valencia into an international metropolis. At the same time, the sailors coming from Switzerland, the United States, Italy, South Africa, Germany, China and New Zealand are living and breathing what it is to be Valencian. They have integrated themselves fully into our city and its traditions and are now part of our lives.

The America's Cup is open to all audiences. Our harbour has been transformed into a lovely place. A place full of life where the Mediterranean Sea continues to stimulate today, as it did for the great Valencian poet Ausias March 500 years ago. It is his verse which has inspired the name of the Veles e Vents building, the landmark site of Port America's Cup.

We Valencians are intent on organising the best ever America's Cup. We are building with pride all the facilities that today make Port America's Cup. This is a place open for all to enjoy and the beginning of what will be the best and most beautiful marina in the Mediterranean, the Marina Real Juan Carlos I.

This same harbour where today the best crews sail onboard the most technologically sophisticated yachts is also a reflection of the city of Valencia in 2007— a city of the avant-garde, of creativity and excellence that has again opened itself to the sea.

Una ciudad proyectada al futuro

Los valencianos somos ciudadanos con vocación internacional, dispuestos a mostrar al mundo nuestro dinamismo, nuestra modernidad y nuestra posición de vanguardia.

Hace cuatro años, decidimos que queríamos albergar la competición náutica más prestigiosa de cuantas se celebran en los cinco continentes, la 32.ª America's Cup, y lo logramos. Hoy, con idéntica determinación, nos hemos consolidado como una de las ciudades europeas de mayor proyección turística, social y cultural.

La America's Cup es un acontecimiento universal que está permitiendo a miles de visitantes descubrir la nueva Valencia que hoy presentamos con orgullo y que, a lo largo de su milenaria historia, ha ido desarrollando una personalidad única, alegre, creativa, integradora y hospitalaria; una ciudad que ha conservado la esencia de su pasado, que vive un presente espléndido y que trabaja en la búsqueda de un futuro excelente.

La llegada de los equipos a nuestra ciudad ha ido convirtiendo en valencianos a todos sus miembros y, también, a sus familias. Deportistas llegados de Suiza, Estados Unidos, Italia, Sudáfrica, Alemania, China y Nueva Zelanda están viviendo en primera persona qué significa ser valencianos, se han integrado plenamente en nuestras costumbres y han pasado a formar parte de nuestra vida.

La America's Cup se ha abierto a todos los públicos. Nuestra dársena se ha transformado en un lugar que enamora. Un lugar lleno de vida donde el Mediterráneo sigue ejerciendo la misma fascinación que hace 500 años inspiró los versos del gran poeta valenciano Ausiàs March que hoy dan nombre al edificio más emblemático del Port America's Cup, el Veles e Vents.

Los valencianos estamos organizando la mejor America's Cup de la historia e imprimiendo el máximo nivel de calidad a todos los equipamientos que hoy forman el Port America's Cup. Una zona para el disfrute de todos y que es, no lo olvidemos, el punto de partida de lo que será la mejor y más hermosa marina del Mediterráneo, la Marina Real Juan Carlos I.

Esta misma dársena, en la que ahora navegan las mejores tripulaciones del mundo a bordo de los barcos tecnológicamente más sofisticados, es también el perfecto reflejo de la Valencia del 2007: de la ciudad de vanguardia, de creatividad y excelencia que, de forma definitiva, se ha abierto a la mar.

5

6

7

32nd America's CUP

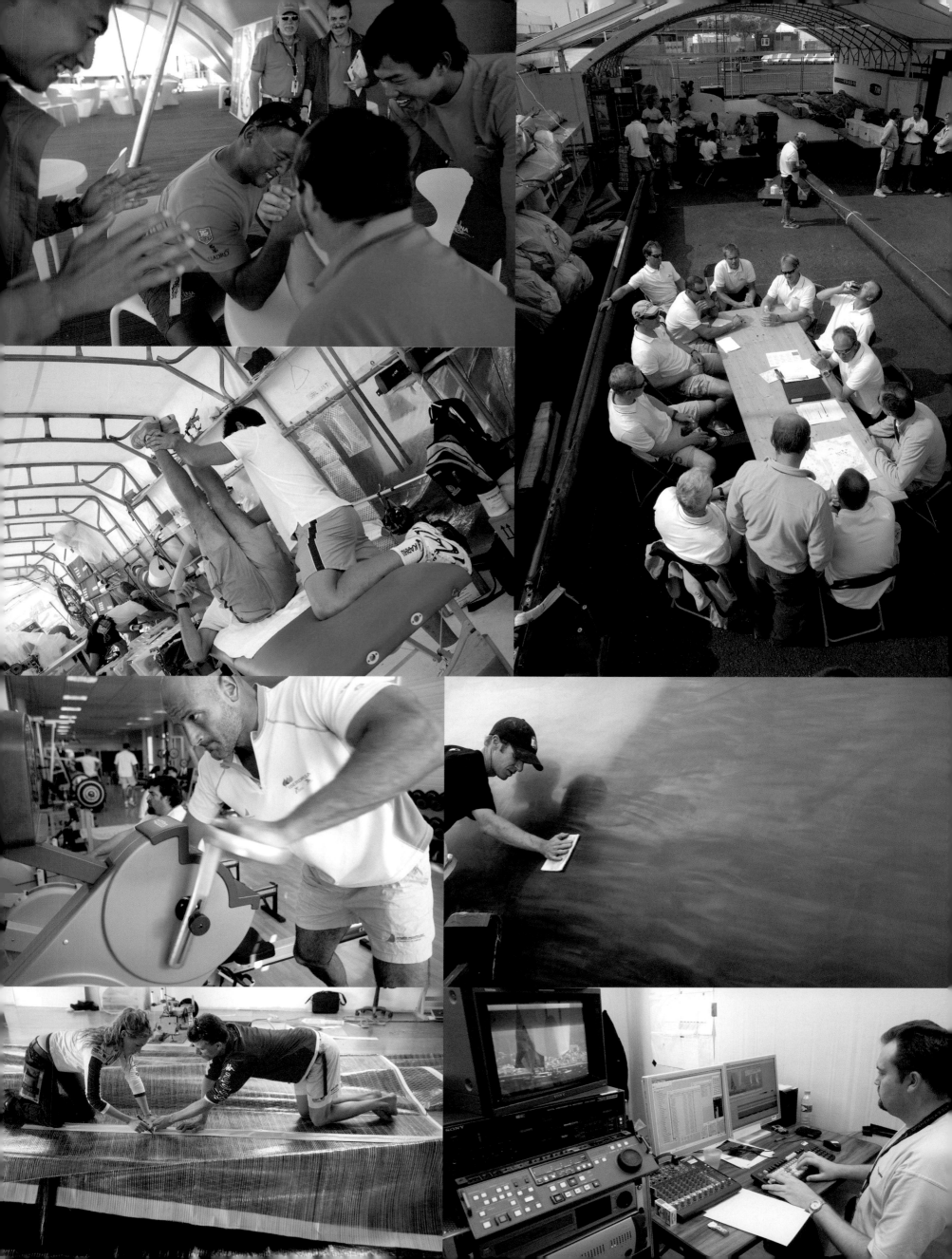

15

16

17

18

1   The city of Valencia and its enthusiasm for the 32nd America's Cup.

2   The terraces of the Veles e Vents building, an unbeatable grandstand to watch the racing.

3   For Trapani, the visit from the 32nd America's Cup was unique and universally loved.

4   A tribute to the more than 1000 volunteers working for the 32nd America's Cup.

5   Two sailing fans try out the life of a grinder on a simulator in the America's Cup Park.

6   The security of the general public is top priority in all sports grounds.

7   With a little imagination you can become one of the world's greatest skippers.

8   Future observing the present, and with it, the dream.

9   There is a place for everyone at the America's Cup Park.

10 It all started out as a game. Today it is the most distinguished trophy in the world.

11 In a 32nd America's Cup team, cleaning the boat is a basic necessity. It is an extremely delicate machine.

12 Preparation is essential. It's a long, hard road.

13 The classic image of a 32nd America's Cup crew, furiously grinding the winches.

14 A number of well-known faces from many different countries are enticed by the appeal of the America's Cup.

15 Every day hundreds of people are at work to ensure the America's Cup can be seen all over the world.

16 There are few things better than enjoying sport with the family.

17 Colour, light and design make for a good working and leisure atmosphere at the 32nd America's Cup.

18 After racing the crew speaks to the media to evaluate the day.

19 Iain Percy, Brad Butterworth, Sébastien Col, Dean Barker, Jesper Bank, Magnus Holmberg, Pierre Mas, Chris Dickson, Luis Doreste, Mark Sadler, Vasco Vascotto and Francesco de Angelis.

20 Glamour, style, exclusivity, avant-garde: the Foredeck Club is undeniably the place to be and to be seen.

1   Valencia, una ciudad volcada con la 32.ª America's Cup.

2   Las terrazas del Veles e Vents son la mejor grada del mundo.

3   Para Trapani, la visita de la 32.ª America's Cup fue un hito irrepetible.

4   Un homenaje a los más de 1.000 voluntarios de la 32.ª America's Cup.

5   Dos aficionados emulan a los «grinders» en el simulador del America's Cup Park.

6   Como en todo recinto deportivo, la seguridad del público es imprescindible.

7   Con un poco de imaginación, uno puede convertirse en uno de los mejores patrones del mundo.

8   El futuro mira al presente. Ante él, un sueño.

9   America's Cup Park: entretenimiento para todos los públicos.

10   Todo empezó como un juego y ahora es el trofeo más distinguido del mundo.

11   En un equipo de la 32.ª America's Cup la limpieza del barco es básica. Estas máquinas son extremadamente delicadas.

12   Para participar en la America's Cup hay que estar preparado porque el camino es largo y duro.

13   La estampa clásica de los tripulantes haciendo girar los molinillos con todas sus fuerzas.

14   Personajes de distintos países, conocidos por sus diversas actividades, atraídos por la llamada de la America's Cup.

15   Cada día, cientos de personas trabajan para que la America's Cup esté presente en todo el mundo.

16   Nada como disfrutar del deporte en familia.

17   El color, la luz y el diseño crean una buena atmósfera en los espacios de ocio y trabajo de la 32.ª America's Cup.

18   Al final de cada día de regata, los tripulantes se encuentran con los medios de comunicación para valorar la jornada.

19   Iain Percy, Brad Butterworth, Sébastien Col, Dean Barker, Jesper Bank, Magnus Holmberg, Pierre Mas, Chris Dickson, Luis Doreste, Mark Sadler, Vasco Vascotto y Francesco de Angelis.

20   Glamour, estilo, exclusividad, vanguardia… no hay duda de que el Foredeck Club de la 32.ª America's Cup es donde hay que estar para ver y ser visto.

technologytecnología

OLIN J. STEPHENS
Boat designer Diseñador de barcos

The vanguard as tradition

La vanguardia como tradición

I was born in 1908 and became interested in the America's Cup at the age of 12, just before the 13th America's Cup.

As the First World War had so sadly depleted the pool of younger men in Britain, the next Cup wasn't until 1930. By this time I had begun a career as a designer and had the first indications of the good fortune that has since characterised my life. In 1934, at the time of the 15th America's Cup, I became a member of Weetamoe's afterguard for the defender trials. Although we did not do well the big boat experience was invaluable.

It led directly to work on the design of the next Defender. Mike Vanderbilt asked me to join Starling Burgess as co-designer of a new J-Class yacht, the boat that would eventually become Ranger. Bath Iron Works, a well-known shipyard that still thrives today, took on the job and loaned us a small group of engineers and draughtsmen to help with this special project. One of Vanderbilt's strengths was to get the best people to work together and with this group he had effectively created the first design team at the America's Cup.

For Ranger's hull shell we intended to use steel plating, flush-riveted and welded, and for the spars a new alloy of aluminum.

For the purposes of disinformation, our project was listed as an experimental aluminium destroyer for the US Navy. Such was the ruse that to make it seem credible and to test materials adequately, we actually built a short length of the structural mid-section of a destroyer from aluminium and moored it in sea water in order to check its durability and resistance to corrosion!

Avoiding excessive length I will say that I attribute Ranger's overwhelming success primarily to the most advanced naval architecture studies of the day with the experimental use of a set of small scale models in a towing tank.

The hiatus caused by World War Two brought disruption to the America's Cup again. But it survived thanks in part to the New York Yacht Club's decision to rationalise the size and hence costs of the boats used. From the once mighty J-Class, which measured a staggering 135 foot overall, to the relatively small 12-Metres measuring at just over 60 foot overall, the America's Cup picked up again.

The 12-Metre era was another fortunate time for me as I had a good background in their ways. "Twelves" sailed off Newport for the Cup almost every three years from 1957 to 1983. My company Sparkman & Stephens designed five successful defenders, two of which had two runs each. Also luckily for me the boat that lost in 1983 was not an S&S design!

The activity following the loss of the America's Cup in 1983 was rather chaotic, but I consider that after my watch. What has happened since is marvelous but I'm hoping that someone else can tell that story.

Nací en 1908 y cuando tenía 12 años me interesé por la America's Cup por primera vez. Fue justo antes de que se celebrara la 13.ª edición, en 1920.

La Primera Guerra Mundial había dejado exhausta a toda una generación de jóvenes en Gran Bretaña, así que la siguiente no se disputó hasta 1930. Para entonces, yo ya había iniciado mi carrera como diseñador de barcos de regata y experimentaba las primeras señales de la buenaventura que ha caracterizado toda mi vida. En 1934, cuando se celebró la 15.ª America's Cup, obtuve un puesto como miembro del equipo de mando del «Weetamoe», que participó en las pruebas de selección del barco defensor. A pesar de que no lo hicimos bien, esa experiencia tuvo para mí un valor incalculable: me llevó a trabajar en el diseño del próximo defensor.

Mike Vanderbilt me pidió que me uniera a Starling Burgess como codiseñador de un barco nuevo de la J-Class, una embarcación que acabó siendo el famoso «Ranger». Bath Iron Works, un reconocido astillero que aún existe, se ocupó del encargo y nos prestó un pequeño grupo de ingenieros y delineantes que nos ayudaron con este proyecto tan especial. Uno de los puntos fuertes de Vanderbilt era conseguir que los mejores de cada campo trabajaran juntos y con este grupo creó el primer equipo de diseño de la historia de la America's Cup.

Para el casco del «Ranger» queríamos utilizar acero y para el aparejo, aluminio. Así que, con el fin de desinformar, nuestro proyecto se registró como un destructor experimental de aluminio para la US Navy. Tal fue el nivel de picardía y astucia del proyecto, que para hacer creíble la mentira y poder probar los materiales de forma adecuada, construimos una pequeña parte de lo que hubiera sido la estructura de la parte media de un destructor de aluminio y la botamos en el agua para comprobar su durabilidad y resistencia a la corrosión.

Quiero evitar extenderme demasiado, así que diré que atribuyo el espectacular éxito del «Ranger» a los estudios de la arquitectura naval más avanzada de la época. Utilizamos pequeñas maquetas a escala del barco en un canal de hidrodinámica.

La Segunda Guerra Mundial provocó de nuevo la interrupción de la America's Cup, que sobrevivió en parte gracias a la decisión del New York Yacht Club de racionalizar el tamaño y el coste de los barcos utilizados. De la poderosa J-Class, cuyos barcos llegaban a medir 135 pies de eslora total (45 metros), pasamos a los relativamente pequeños 12-Metros que medían apenas algo más de 60 pies (20 metros).

La era de los 12-Metros fue otra época afortunada para mí gracias a que tenía una buena experiencia en su diseño. Los 12-Metros navegaron en las ediciones de la America's Cup celebradas en Newport casi cada tres años entre 1957 y 1983. Mi empresa, Sparkman & Stephens, diseñó cinco defensores victoriosos, dos de los cuales ganaron dos ediciones cada uno. De hecho, también me siento afortunado de poder decir que el barco que perdió en 1983 no era un diseño de S&S.

Lo sucedido a raíz de la pérdida de la America's Cup en 1983 fue caótico, pero es sólo mi opinión. Lo que ha ocurrido desde entonces es maravilloso, y espero que sea otro quien cuente esa historia.

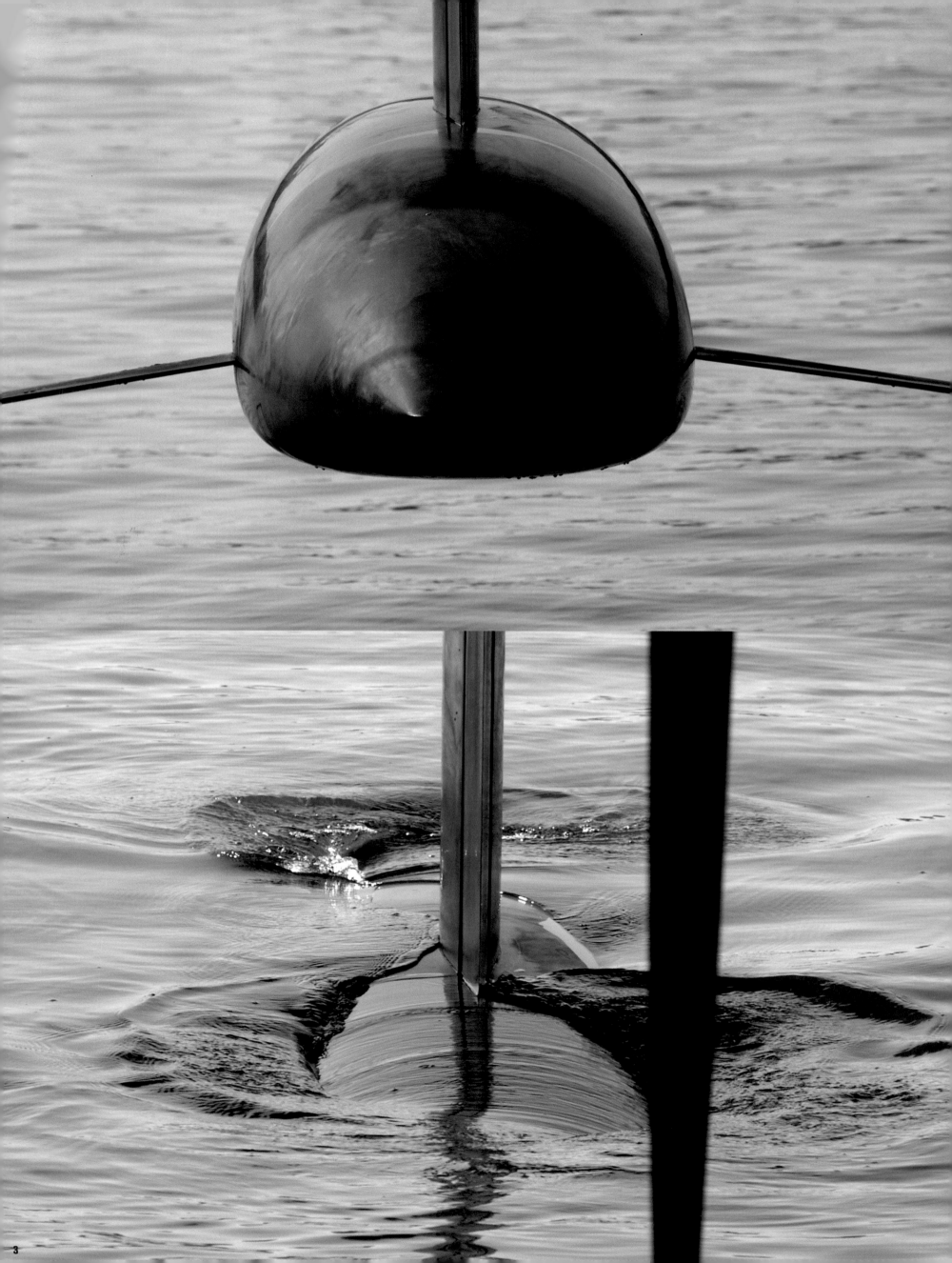

10

11

12

13

14

15

1 An America's Cup keel bulb is a 20-tonne alloy of lead and antimony that counteracts the power of the wind on the sails from under the water.

2 24 metres long by 4 metres wide and over 35 metres tall– a powerful sailing machine.

3 The wet surfaces of an America's Cup boat are polished to be as smooth as possible; less friction means more speed.

4 The teams lift the boats out of the water every afternoon, an extremely delicate operation that is carried out with the utmost care. Millions of euros of investment and thousands of working hours are at stake.

5 The sails are dried, inspected and repaired every day. One small tear can mean losing the race.

6 Experts inspect every square centimetre for any imperfection.

7 The shrouds give lateral support to the mast and are under incredible loads of stress and tension.

8 An America's Cup mast– over 33 metres of carbon fibre, electronics and supporting cables.

9 The design teams of Luna Rossa and Emirates Team New Zealand have come up with completely different solutions for the design of their bows.

10 BMW ORACLE Racing's USA 87 bowsprit generated speculation: did it mean a revolutionary design below the water?

11 What makes this boat so fast?

12 ITA 77, GER 72 and ITA 59, three boats spanning two earlier generations of America's Cup design. Evolution at work!

13 The backstay goes from supporting 12 tonnes of tension to nothing in just seconds. At the same time the other hardens like steel.

14 A small detail of the boom; as black as the carbon fibre it is made of.

15 Meteorological information greatly influences the shape of the boats.

16 An America's Cup boat has the most advanced rigging in existence.

17 The running backstays are extremely important, preventing the mast from falling forward. A mistake trimming here and the mast breaks.

18 The genoa trimmer ensures that the foresail is set perfectly, pulling the sheet in using a winch: a Kevlar and carbon drum.

19 The main sail is adjusted by the angle of the boom; the crew member trimming it is among the most experienced members of the team.

20 Winches are used to put tension on a number of different lines– those responsible for them must move them as fast as possible.

21 The speed and direction of the wind, the trim of the sails, the speed of the boat and hundreds of other factors come together in harmony in order to sail at the highest level.

22 The race course is scattered with meteorological buoys recording data and sending it back to weather experts on the team who make daily predictions that can change the outcome of a race.

23 A camera operator adjusts the lens on a camera aboard one of the boats that provides live coverage of the racing.

24 Who is in front? By how much? Where are they heading? How much time is left? In the 32nd America's Cup, all this information and a lot more is available on the internet.

25 Every small detail of the live coverage is controlled down to the millisecond.

26 What would the America's Cup be if it wasn't televised to hundreds of millions of homes all over the world?

1 El bulbo de un barco de la America's Cup concentra 20 toneladas de una aleación de plomo y antimonio que contrarrestan bajo el agua la fuerza del viento en las velas.

2 24 metros de largo por 4 de ancho y más de 35 de alto… una máquina muy poderosa.

3 Las superficies mojadas de un barco de la America's Cup se pulen hasta alcanzar la máxima suavidad, menos fricción equivale a más velocidad.

4 Los equipos sacan los barcos del agua cada tarde, una operación delicada que se hace con extremo cuidado. Ahí van millones de euros de inversión y miles de horas de trabajo.

5 Cada día de navegación, las velas se secan, revisan y reparan. Un pequeño corte puede llevar al traste todo un proyecto.

6 Centímetro a centímetro, los tripulantes más expertos lo revisan todo en busca de desperfectos.

7 Los obenques sostienen lateralmente el mástil y están sometidos a tensiones y compresiones brutales.

8 Más de 33 metros de fibra de carbono, sensores y cables de acero, eso es un palo de la America's Cup.

9 Los equipos de diseño de Luna Rossa y Emirates Team New Zealand han encontrado soluciones muy diferentes para crear sus proas.

10 El botalón del USA 87 de BMW ORACLE Racing provocó muchas suspicacias, decían que escondía algo revolucionario bajo el agua.

11 ¿Qué tiene este barco que lo hace tan rápido?

12 El ITA 77, el GER 72 y el ITA 59: tres barcos de generaciones anteriores a la 32.ª America's Cup. ¡Cuánto llegan a evolucionar en pocos años!

13 Uno de los dos estáis de popa pasa de soportar 12 toneladas de tensión a cero en un segundo, el mismo tiempo que el otro se endurece como una barra de acero.

14 Detalle de una botavara, tan negra como el material que la compone: la fibra de carbono.

15 El sistema de toma de datos meteorológicos condiciona las formas de los barcos.

16 La jarcia de los America's Cup Class es la más avanzada que existe.

17 Las burdas son importantísimas, evitan la torsión del mástil. Si el que las controla comete un error, el palo se parte.

18 El «trimmer» de génova se encarga de que la vela de proa esté perfecta y para ello utiliza un «winche», que es ese tambor de kevlar y carbono.

19 El carro de la mayor sirve para ajustar el ángulo de la botavara; el tripulante que lo manipula es uno de los más experimentados por la dificultad de su manejo.

20 Los molinillos o «grinders» tienen múltiples funciones y sus responsables deben, fundamentalmente, darles vueltas lo más rápido posible.

21 La intensidad y dirección del viento, el ajuste de las velas, la velocidad del barco y cientos de variables más deben conjugarse en armonía para navegar hacia lo más alto.

22 El campo de regatas está salpicado de boyas meteorológicas que toman datos y los envían a los expertos de los equipos para que predigan las condiciones del día.

23 Un operador de cámara maneja la lente situada en uno de los barcos utilizados para la retransmisión de las regatas.

24 Quién va delante, por cuánto, hacia dónde se dirige, cuánto tiempo queda… en la 32.ª America's Cup todo esto y mucho más se puede ver con un ordenador conectado a Internet.

25 Hasta el más mínimo detalle de la retransmisión está controlado al milisegundo.

26 ¿Qué sería de la America's Cup si no llegara a cientos de millones de hogares en todo el mundo?

aninternationalroute
unrecorridointernacional

DYER JONES
Regatta Director Director de Regatas

The evolution of an icon

It started its post-war life as a small club-based event for an initiated group. It grew and took on the mantle of one of the top events in sailing. The America's Cup was a trophy for non-Americans to dream of, sail for, but never win. But as time went by more and more foreign teams became interested in it. It regained its status as the pinnacle of yacht racing. The characters, the technology, the sport— and those boats.

Eventually, in 1983 the impossible happened. The Cup was won by a challenger.

What took place over the following 20 years brings us almost up to date with the America's Cup competition. The next events were held in far away places, far from where the Cup had rested for 132 years. It travelled to Australia, to California, to New Zealand and most recently to Europe. It has now been won by a grand total of just five clubs over the first 155 years of its life. It could therefore be legitimately considered as really difficult to win.

From the day Alinghi beat Team New Zealand in March 2003 and the Société Nautique de Genève became the new trustees and responsible for the 32nd America's Cup, it seems as if we have compacted the previous twenty years into the last 20 months. We have shipped a fleet of America's Cup Class yachts to four different regatta venues around Europe. We have run the best racing, America's Cup standard racing, at each of these venues. We have seen more real competition on the water over those last 12 Louis Vuitton Acts than ever before. We have seen more starts, more miles raced, more place changes, more close photo-finishes. More people have come to watch, more late nights have been spent partying, more has been written and more has been said.

I would like to be satisfied. I am. But the truth is we haven't even really started the main event yet. The Louis Vuitton Cup and the Match are still ahead of us. The pace is fast, the style is sharp, the Cup lives on.

La evolución de un icono

Cuando la America's Cup se reinició en 1958, introdujo por primera vez el uso de la clase 12-Metros, pero continuó siendo un evento de club para un grupo de iniciados. Durante las décadas posteriores, creció y se convirtió en uno de los eventos más vistos e importantes de la vela. Para quienes no eran estadounidenses, la America's Cup era poco más que un sueño por el que podían navegar y competir, pero nunca ganar. Con el paso del tiempo, más y más clubes náuticos extranjeros se interesaron por desafiar. Y conforme crecía su popularidad iba recuperando el estatus de cúspide de las regatas. Las personalidades, la tecnología, el deporte y los barcos.

Y entonces, en 1983, ocurrió lo imposible. Un desafío ganó la America's Cup.

Las ediciones posteriores se han albergado en lugares lejanos. Lejos de donde la America's Cup había descansado durante 132 años. Viajó a Australia, California, Nueva Zelanda y a Europa. La America's Cup sólo la han ganado cinco clubes náuticos en sus 155 años de historia. Así que es legítimo considerarla como un trofeo de difícil conquista.

Desde aquel día de marzo de 2003 en que Alinghi derrotó a Team New Zealand y la Société Nautique de Genève se convirtió en fideicomisario de la America's Cup y responsable de la 32.ª edición, parece que se hayan comprimido los últimos 20 años en sólo 20 meses. Hemos llevado una flota de 12 barcos de la America's Cup Class a cuatro países de Europa. Hemos organizado cientos de regatas de la America's Cup en cada uno de esos lugares. Hemos visto verdadera competición en el agua en los últimos 12 Louis Vuitton Acts; más salidas, más millas navegadas, más lugares y muchas más finales muy ajustadas. Un gran número de personas se han acercado a verlas, se han retransmitido cientos de horas de producción televisiva y decenas de miles de páginas se han escrito en la prensa.

A pesar de que ya podemos ver todos estos éxitos, lo cierto es que todavía no ha comenzado lo más importante, aún nos quedan la Louis Vuitton Cup y el America's Cup Match. El ritmo es rápido y el estilo, afilado; se está escribiendo otro capítulo en la historia de la America's Cup.

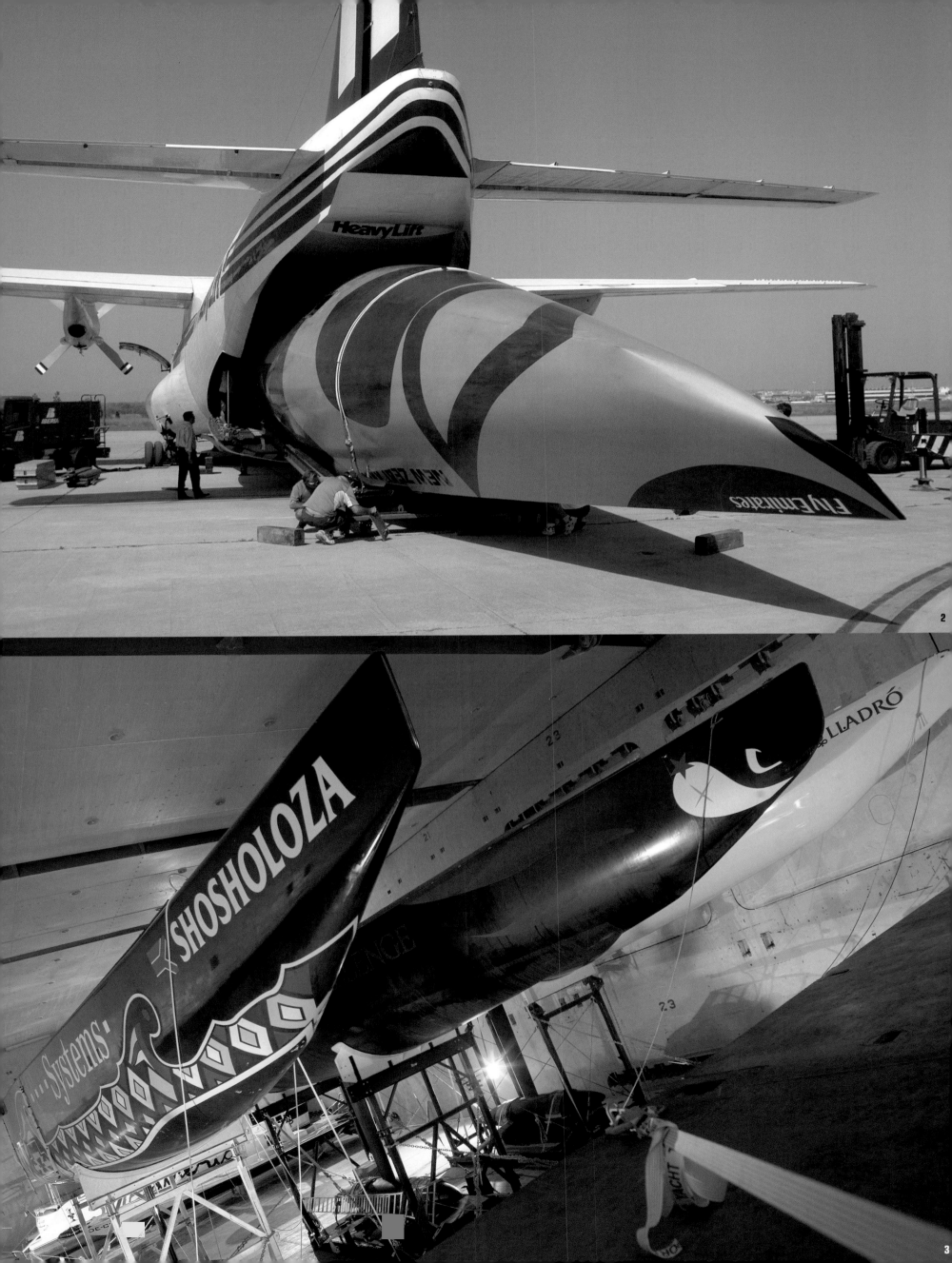

14

15

16

17

18

21

1 The 32nd America's Cup is the most international edition for many reasons; one being the fact that over 2000 tonnes of equipment was shipped to venues in four different European countries.

2 In 2004 Emirates Team New Zealand had to urgently send a boat to Valencia. The hull only just squeezed into the plane by a matter of millimetres.

3 Africa, Europe and Asia– three continents sailing on the same ship.

4 Europe is the stage over 155 years after the first race off the coast of England.

5 The first race in the 32nd America's Cup took place at Marseille Louis Vuitton Act 1.

6 Six teams participated in France, a brilliant beginning.

7 The opening party in Valencia Louis Vuitton Acts 2 & 3 was spectacular. The host city gave the new crews a truly warm welcome.

8 The applause for Alinghi in Valencia was deafening– they were the reason for the event being here.

9 Every day hundreds of spectator boats go out to see the most sophisticated racing boats in the world at work on the water.

10 900 000 m²– Port America's Cup is the largest infrastructure to have ever been constructed for a sailing event.

11 Sailing on the silver waters of Malmö-Skåne (Sweden, August 2005)

12 The fleet races are one of the novelties of the 32nd America's Cup and an amazing show.

13 The teams still talk about the amazing atmosphere in Trapani (Sicily, September and October 2005); teams working side by side and together– something previously unheard of.

14 The sun sets over the Island of Favignana– tomorrow is another day at the America's Cup.

15 For one night, the centre of Trapani became one big restaurant for hundreds of guests celebrating the Trapani Louis Vuitton Acts 8 & 9.

16 The "Amerigo Vespucci" watches over the race between BMW ORACLE Racing and Mascalzone Latino - Capitalia Team.

17 A sailing work of art.

18 Alinghi, the defender of the trophy, and the Challenger of Record, BMW ORACLE Racing, battle during the last Match Race of the 2005 Louis Vuitton ACC Championship.

19 Until the arrival of the 32nd America's Cup, the City of Arts and Sciences was Valencia's major attraction.

20 The Valencian drive towards progress is reflected in architectural projects such as the "Palau de les Arts Reina Sofia".

21 One of the host city's jewels: L'Oceanogràfic.

22 The Port America's Cup. Valencia opens up to the sea.

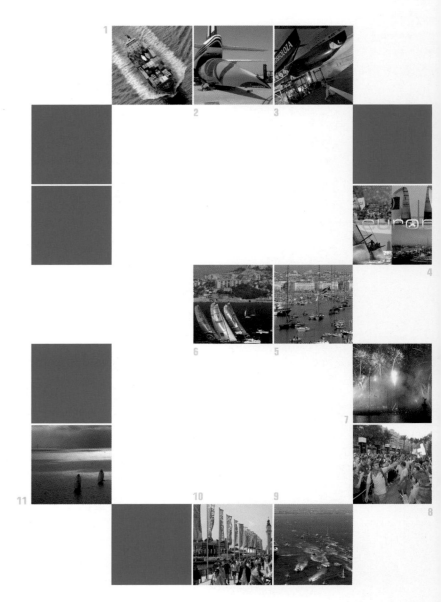

1 La 32.ª America's Cup es la más internacional de la historia por varias razones, y una es que 2.000 toneladas de material han viajado por cuatro países de Europa.

2 En 2004, Emirates Team New Zealand tuvo que enviar de urgencia un barco desde Nueva Zelanda a Valencia. El casco entró en el avión por escasos milímetros.

3 Africa, Europa y Asia… tres continentes viajando en el mismo buque.

4 Europa es el escenario más de 155 años después de la primera regata en la costa de Inglaterra.

5 El Marseille Louis Vuitton Act 1 fue la primera regata de la 32.ª America's Cup.

6 Seis equipos participaron en Francia, un prólogo de lujo.

7 La fiesta de inauguración de los Valencia Louis Vuitton Acts 2 & 3 fue espectacular, la Ciudad Sede daba la bienvenida a sus nuevos habitantes.

8 Los valencianos aplaudieron a Alinghi de forma efusiva, ellos eran los responsables de que todo esto estuviera en su casa.

9 Cientos de barcos salen cada día de regata a acompañar a los veleros más sofisticados que existen.

10 Los más de 900.000 metros cuadrados del Port America's Cup lo convierten en la instalación más grande del mundo construida para una competición náutica.

11 Navegando en el agua de plata de Malmö-Skåne (Suecia, agosto de 2005).

12 Las regatas de flota son una de las novedades de la 32.ª America's Cup y un espectáculo para los sentidos.

13 Cuentan desde los equipos que el ambiente que se vivió en Trapani (Sicilia, septiembre y octubre de 2005) fue único. Trabajaron codo con codo, se ayudaron… algo inédito.

14 El sol se pone por la isla de Favignana, mañana será otro día.

15 El centro de Trapani se convirtió por una noche en un gran restaurante donde cientos de invitados celebraron los Trapani Louis Vuitton Acts 8 & 9.

16 El Amerigo Vespucci custodia la regata disputada entre BMW ORACLE Racing y Mascalzone Latino – Capitalia Team.

17 Una obra de arte de la navegación.

18 El defensor del trofeo, Alinghi, y el primer desafío, BMW ORACLE Racing, disputando el último enfrentamiento de Match-Race del 2005 Louis Vuitton ACC Championship.

19 Hasta la llegada de la 32.ª America's Cup, la Ciudad de las Artes y las Ciencias era el atractivo principal de Valencia.

20 La voluntad de progreso de los valencianos se refleja en proyectos arquitectónicos como el Palau de les Arts Reina Sofía.

21 Una de las joyas de la Ciudad Sede es L'Oceanogràfic.

22 El Port America's Cup. Y Valencia se abrió al mar.

emotionemoción

BRAD BUTTERWORTH

Skipper Alinghi Patrón de Alinghi

My road to the America's Cup

Mi camino hacia la America's Cup

As we cross the start line to fight to win the America's Cup again on the 23rd of June, I will be nervous of mistakes, looking to do my job right and relying on the team to do theirs. It will be a buzz. In New Zealand, where I grew up, sailing is a past-time as well as a sport, and the America's Cup is the pinnacle of that sport. It is the hardest game in the sailing world, involving science, teamwork and natural talent, but it is also the most rewarding.

My father introduced me to sailing when I was five years old and from there I got a great grounding in the sport from dinghies to keel boats. I became aware of the Americas Cup when I was about nine years old and sailing the national trainer, a P-Class. At that stage I could only dream of one day sailing in the event for an overseas team, as I never thought that New Zealand would have the resources to mount a challenge, let alone win!

Now with a few America's Cup wins behind me, it has become a fulfilling way of life, for me and my family, but I never lose sight of the fact that it is a sport, and you have to enjoy it or find something else to do.

Some of the highlights over the years have been teaming up with Russell Coutts in 1992 and pursuing our own vision in 1995, 2000 and again in 2003. Also, the considerable fortune of sailing with most of the great names in the Cup's modern history, like Dennis Conner and Tom Whidden, has been a major high point.

After 20 years racing for the America's Cup, the fight to win is what holds my attention; plus you do not get many chances to sail at this level for long, so I am holding on tight while I have the opportunity!

I have always believed in moving forward and not wasting time on mistakes. Learn from them and move forward. That is what we do at Alinghi and that is what we will continue to do to win the America's Cup again in June.

Conforme crucemos la línea de salida para pelear por ganar otra vez la America's Cup el próximo 23 de junio, estaré nervioso por los errores, intentando hacer bien mi trabajo y confiando en que el equipo haga bien el suyo. Será un instante.

En Nueva Zelanda, donde crecí, navegar es un pasatiempos y un deporte, y la America's Cup es la cúspide de ese deporte. Es el juego más difícil del mundo de la vela porque incluye ciencia, trabajo en equipo y talento natural, pero también es el que mejor recompensa.

Mi padre me introdujo en la náutica cuando tenía cinco años y a partir de ahí desarrollé una buena base en este deporte gracias a la vela ligera y de crucero. Descubrí la America's Cup cuando tenía nueve años y navegaba con un barco de entrenamiento nacional, un P-Class. En ese momento sólo podía soñar con que algún día trabajaría para un equipo extranjero en este evento. Nunca pensé que Nueva Zelanda pudiera tener los recursos para montar un desafío, ¡y mucho menos para ganar!

Ahora, con algunas victorias a mis espaldas, se ha convertido en una forma de vida plena para mí y para mi familia. Eso sí, nunca olvidaré el hecho de que se trata de un deporte que debes disfrutar o dejarlo.

A lo largo de los años, algunos de los momentos cumbre han sido compartir equipo con Russell Coutts en 1992 y perseguir nuestro propio objetivo en 1995, 2000 y, de nuevo, en 2003. También ha sido importante haber tenido la fortuna de navegar con muchos de los grandes nombres de la historia moderna de la America's Cup, como Dennis Conner y Tom Whidden.

Después de 20 años navegando en la America's Cup, la lucha por la victoria es lo que ocupa toda mi atención. Además, no hay muchas oportunidades de navegar a este nivel durante mucho tiempo, ¡así que me estoy agarrando fuerte mientras tengo la oportunidad!

Siempre he creído en continuar hacia delante y no perder demasiado tiempo en los errores. En aprender de ellos y perseverar. Eso es lo que hacemos en Alinghi y eso es lo que continuaremos haciendo para volver a ganar la America's Cup en junio.

RSA 83
msc
T··Systems
MEDITERRANEAN SHIPPING CO.
SHOSHOLOZA
T··Systems
MSC

there is n

o second

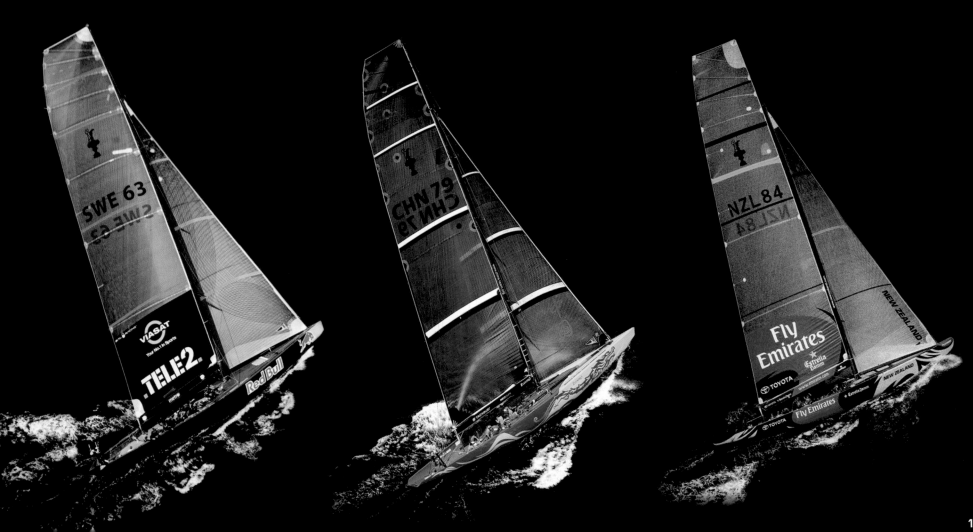

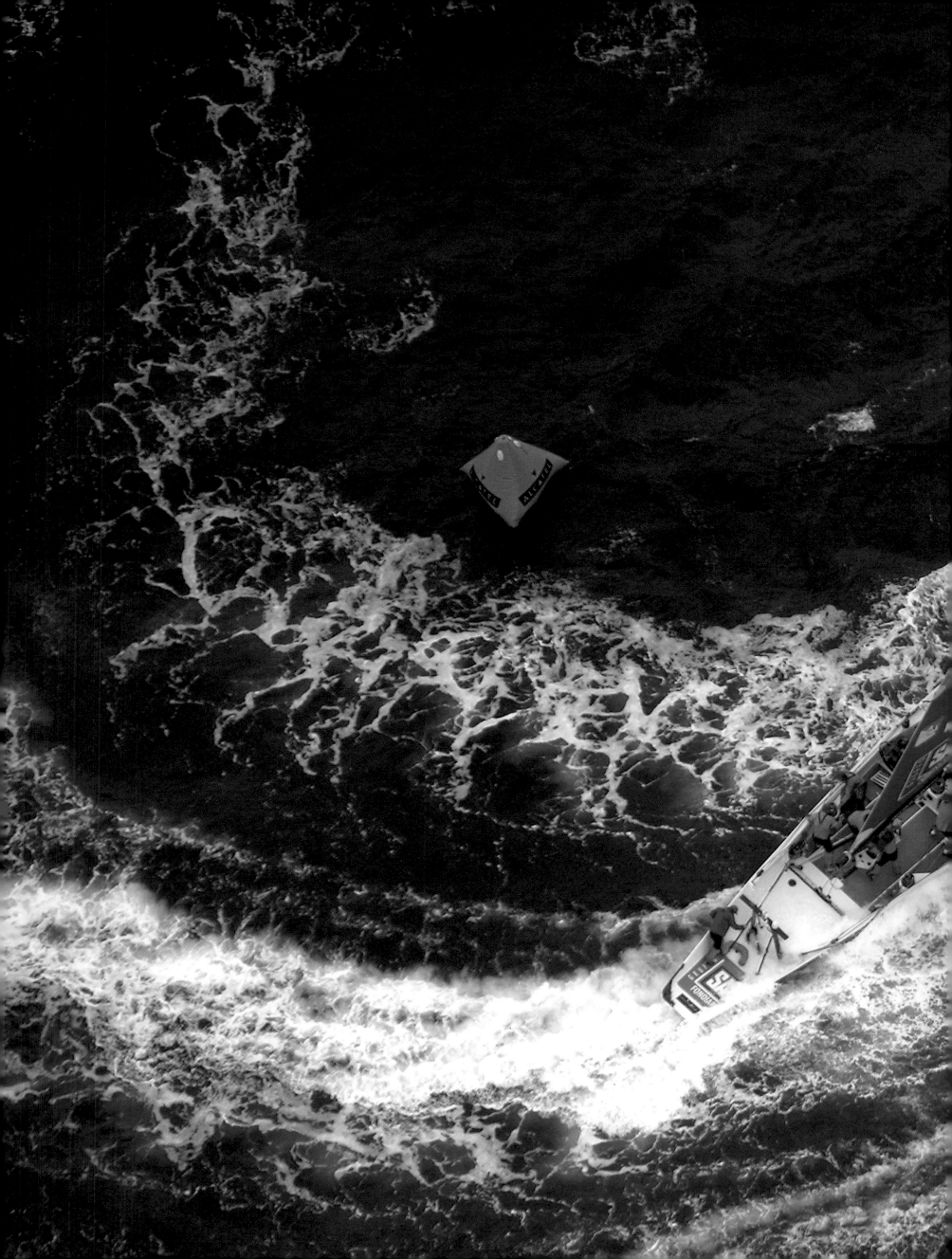

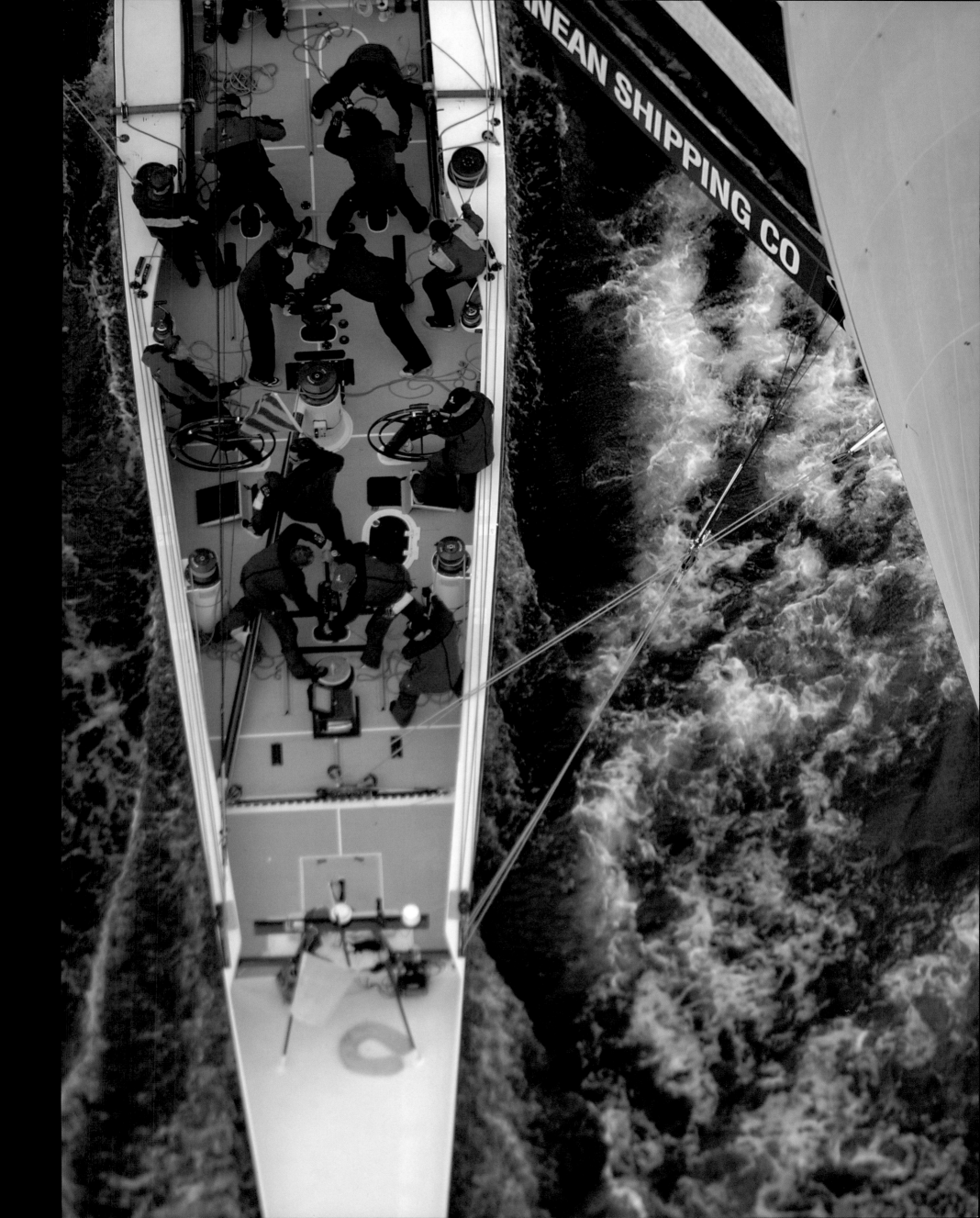

47

48

SGS

49

1 Two 24 metre boats with 17 crew members on board fight for the lead before the start signal. An incredible show of skill and precision.

2 The boats circle around, one on the tail of the other: the battle has started!

3 Emirates Team New Zealand puts the pressure on BMW ORACLE Racing just a few metres from the upwind mark- this is Match-Racing!

4 "Three....two....one....!" The boats accelerate towards the starting line and the race is on!

5 The aesthetic beauty of the America's Cup is incomparable and every boat is a 24 tonne work of art.

6 The boats are equipped with systems that measure thousands of data inputs every second, but the best way to find wind on the race course is still by sending a man up the mast to find it.

7 The strategist up the mast studies the race course, whilst the 18th crew member enjoys an unforgettable day.

8 Non-verbal communication is fundamental for the crew. Here the bowman is telling the skipper that the boat is moving too fast and is in danger of crossing the line early.

9 Upwind or downwind. Genoa and mainsail. Genoa down, spinnaker up. Spinnaker and mainsail.

10 12 teams, from 10 countries and 5 continents. There is no second.

11 Time and distance. The bowmen signal the distance remaining to the starting line; a manoeuvre that has been repeated to perfection over the years.

12 The schooner America in 1851 and today's 32nd America's Cup boats - both are the most advanced yachts of their time.

13 Hoisting the spinnaker at the top mark is a critical moment, and Luna Rossa Challenge is one of best teams in this manoeuvre.

14 Only nature itself can outshine the beauty of an America's Cup yacht.

15 Two millenniums ago the Mediterranean Sea was the Roman "Mare Nostrum". Today Italy is the country with the largest number of teams competing with three challengers.

16 The China Team dragon is a symbol of just how far the 32nd America's Cup has travelled. An emerging world power and at the Cup to stay.

17 +39 Challenge makes up for its older boat's lack of speed with some very daring and aggressive manoeuvres.

18 Desafío Español 2007 and Mascalzone Latino - Capitalia Team have been involved in some of the most intense contests.

19 At top speed towards the starting line. Vasco Vascotto's crew do a good job of keeping Jesper Bank and his team at bay.

20 Valencia has always been a very prosperous trading port, and the America's Cup has taken it to the elite sporting world.

21 China Team is the culmination of one dream and the beginning of another, much more ambitious one.

22 Team Shosholoza represents the values of a new South Africa. The work, spirit and passion of the whole country is sailing with them.

23 From 2nd March, 2003, Emirates Team New Zealand had only one objective - to recover what Alinghi had taken from them.

24 Swords in the air- the crews are ready for battle.

25 The United Internet Team Germany GER 72 and Alinghi SUI 75: a tight battle.

26 Concentration, strength, balance, discipline, knowledge, pressure and tactics: an America's Cup moment.

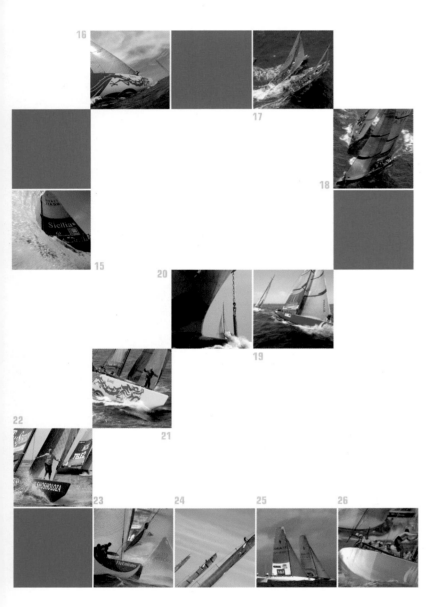

1 Dos barcos de 24 metros con 17 tripulantes a bordo pugnan por el liderazgo antes de la señal de salida, un espectáculo de habilidad y precisión increíble...

2 ... viran sobre sí mismos, se buscan, se atacan ¡La batalla ha comenzado!

3 Emirates Team New Zealand presiona a BMW ORACLE Racing pocos metros antes de llegar a la boya de barlovento. ¡Esto es Match-Race!

4 «¡Tres esloras, dos esloras, una eslora!». Los contendientes aceleran en dirección a la línea de salida. ¡Comienza la regata!

5 La belleza estética de la America's Cup es incomparable y cada embarcación, una obra de arte de 24 toneladas.

6 Los barcos están cargados de sistemas que toman miles de datos cada segundo... pero la mejor forma de saber dónde está el viento sigue siendo enviar un hombre a buscarlo.

7 El estratega en el palo estudia el campo de regatas mientras el tripulante 18 disfruta de un día inolvidable.

8 La comunicación no verbal es fundamental para la tripulación. Aquí, el proa le dice al patrón: «Vas demasiado rápido y cruzarás la línea antes de tiempo».

9 Contra el viento, a favor del viento. Génova y mayor... Génova abajo, «spinnaker» arriba... «Spinnaker» y mayor.

10 12 equipos, de 10 países, de 5 continentes. No hay segundo.

11 Tiempo y distancia. Los proas señalan cuánto queda hasta la línea de salida, una maniobra repetida durante años hasta ejecutarla a la perfección.

12 Como lo fue la goleta «America» en 1851, los barcos de la 32.ª America's Cup son los más avanzados de su tiempo.

13 La izada del «spinnaker» en la baliza de barlovento es crítica y Luna Rossa Challenge, uno de los equipos que mejor la ejecutan.

14 Sólo la naturaleza es capaz de superar la elegancia de un barco de la America's Cup.

15 Hace dos milenios, el Mediterráneo era el «Mare Nostrum» romano. Hoy, Italia es el país con más equipos inscritos, con tres desafíos.

16 El dragón de China Team es un símbolo de los lejos que ha llegado la 32.ª America's Cup. La potencia emergente llega para quedarse.

17 +39 Challenge compensa la falta de velocidad de su barco con maniobras muy arriesgadas y una agresividad casi violenta.

18 El Desafío Español 2007 y Mascalzone Latino - Capitalia Team han protagonizado algunos de los enfrentamientos más intensos.

19 A toda velocidad en dirección a la salida. La tripulación de Vasco Vascotto ha hecho un gran trabajo sometiendo a Jesper Bank y los suyos.

20 Valencia siempre ha sido un puerto muy próspero en lo comercial y la America's Cup lo ha llevado a la elite del deporte.

21 China Team es la culminación de un sueño y el principio de la persecución de otro mucho más ambicioso.

22 Team Shosholoza representa los valores de la nueva Sudáfrica. El trabajo, el espíritu y la pasión de todo un país navegan con ellos.

23 Desde el 2 de marzo de 2003, para Emirates Team New Zealand sólo había un objetivo: recuperar lo que Alinghi les arrebató.

24 Las espadas están todo lo alto; los tripulantes, listos para la batalla.

25 El GER 72 de United Internet Team Germany y el SUI 75 de Alinghi navegan proa a proa.

26 Concentración, fuerza, equilibrio, disciplina, conocimiento, presión, táctica... un instante de la America's Cup.

27 BMW ORACLE Racing came to Valencia to win back what was the property of the United States for 132 years. Alinghi as the European defender are determined to hold on to it.

28 The bowman executes every movement with the agility of an acrobat and the precision of a surgeon. One false step and the race is over.

29 A spinnaker sail could cover two whole tennis courts. The delicate material is as fine as a silk handkerchief.

30 When the boats sail downwind, the trailing team always aims to block the wind from reaching the boat ahead so they lose speed and can be passed.

31 A submarine emerges from the waters of Malmö-Skåne to enjoy the race between defender Alinghi and local team Victory Challenge.

32 One microscopic flaw, the forces of the wind will expose it— and the sail will explode.

33 Five hundred square meters of spinnaker, a millimetre thick, inflate like a giant balloon. The material is submitted to thousands of kilos of pressure.

34 The Shosholoza tactician shows the penalty flag to his rival, who is having problems at the top of the mast.

35 Emirates Team New Zealand and Alinghi sailing downwind. Mascalzone Latino – Capitalia Team and Desafío Español 2007 close hauled.

36 Work, work, work: 12 team crews, 204 men straining to the limit.

37 Spinnaker pole, bow, stay, gennaker …

38 The spinnaker is hoisted, the genoa must come down, the downwind leg begins!

39 If the spinnaker touches the water at any time it can fill with sea water and bring the boat to a standstill…

40 … for this reason the crews make sure the maneuver is as fast as possible.

41 At the leeward gate the fleet completes the downwind leg and prepares for the second upwind.

42 Crews on the French team Areva Challenge and the South African Shosholoza prepare the spinnaker pole to round the buoy like two knights with lances raised in a medieval joust.

43 Two crew members race to the top of the mast at maximum speed. Their job will be to find changes in wind speed and direction to give their team the advantage.

44 The moment when two boats cross is among the most exciting on the race course and marks a clear lead for one of the teams.

45 Past, present, future. Where is the America's Cup heading?

46 There is no respite and the severity of the conditions will not slow down the teams who are prepared to exceed any limits to grab a victory.

47 Yves Carcelle, CEO and President of Louis Vuitton, awards Chris Dickson, skipper and CEO of BMW ORACLE Racing, the Marseille Louis Vuitton Act 1 winning trophy.

48 Jochen Schuemann, sporting director of Alinghi, receives the 2005 ACC Louis Vuitton Season Championship trophy from Bruno Troublé.

49 Christine Bélanger, Director of Louis Vuitton for the America's Cup, hands Chris Dickson the Valencia Louis Vuitton Act 10 trophy.

50 Vicenzo Equestre, Managing Director of Louis Vuitton, Spain, with Brad Butterworth, skipper of Alinghi, the Valencia Louis Vuitton Act 11 champion.

51 Dean Barker and Grant Dalton lift the trophies as winners of Valencia Louis Vuitton Act 12 and the 2006 ACC Louis Vuitton Championship.

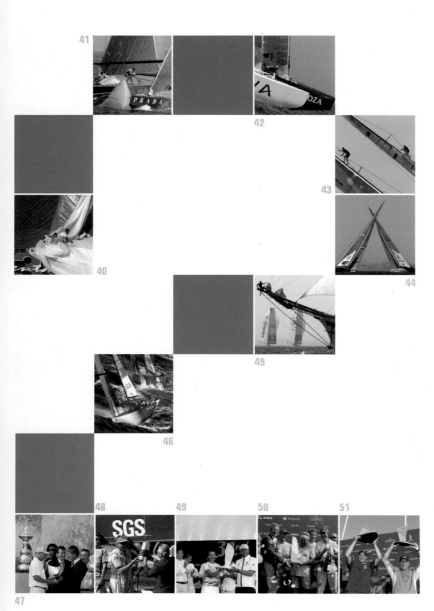

27 BMW ORACLE Racing llegó a Valencia para devolver a Estados Unidos lo que fue suyo durante 132 años y que Alinghi, como primer defensor europeo, pretendía conservar.

28 El proa ejecuta cada movimiento con la habilidad de un acróbata y la precisión milimétrica de un cirujano. Un paso en falso y todo habrá terminado.

29 El «spinnaker» podría cubrir dos pistas de tenis y es tan fino como un pañuelo de seda.

30 Cuando los barcos navegan con el viento a favor, el perseguidor siempre busca tapar el viento del que va por delante para que pierda velocidad y poder rebasarle.

31 Y de las aguas de Malmö-Skåne emergió un submarino para disfrutar de la regata entre el defensor Alinghi y el equipo local, Victory Challenge.

32 Un fallo microscópico y las fuerzas del viento lo ampliarán hasta hacer explotar la vela.

33 Los 500 metros cuadrados del «spinnaker» se inflan como un gigantesco balón de un milímetro de espesor sometido a miles de kilos de tensión.

34 El táctico de Shosholoza levanta la bandera pidiendo una penalización para su rival, que tiene problemas en la cabeza del mástil.

35 Emirates Team New Zealand y Alinghi navegan de empopada, Mascalzone Latino - Capitalia Team y el Desafío Español lo hacen de ceñida.

36 Trabajo, trabajo, trabajo... 12 tripulaciones, 204 hombres exprimiéndose al máximo.

37 Tangón, proa, estay, «gennaker», veleta, cruceta, obenque, sables, lanas y agua.

38 El «spinnaker» está izado, hay que arriar el génova, ¡navegamos de empopada!

39 Si en la arriada el «spinnaker» toca el agua, frenará el barco hasta dejarlo totalmente a la deriva...

40 ... y por esta razón los tripulantes se afanan en recogerlo a toda velocidad.

41 En la puerta de sotavento termina la empopada y los barcos se disponen a iniciar la segunda ceñida.

42 El francés Areva Challenge y el sudafricano Shosholoza preparan el tangón para montar la boya como dos caballeros levantan su lanza en una justa medieval.

43 Dos tripulantes ascienden a toda velocidad a lo más alto del palo, su misión: encontrar cambios en la intensidad y la dirección del viento para aventajar a su equipo.

44 Los cruces entre barcos son algunos de los momentos más emocionantes de la regata y pueden distinguir a los vencedores de los derrotados.

45 Pasado, presente, futuro... ¿Hacia dónde navega la America's Cup?

46 La lucha no tiene tregua y la dureza de las condiciones no detendrá a unos equipos dispuestos a rebasar todos los límites para alcanzar la victoria.

47 Yves Carcelle, presidente de Louis Vuitton, entrega el trofeo de ganador del Marseille Louis Vuitton Act 1 a Chris Dickson, patrón y presidente de BMW ORACLE Racing.

48 Jochen Schuemann, director deportivo de Alinghi, recibe de manos de Bruno Troublé, el trofeo al ganador del 2005 ACC Louis Vuitton Championship.

49 Christine Bélanger, responsable de Louis Vuitton para la America's Cup, entrega el trofeo de ganador del Valencia Louis Vuitton Act 10 a Chris Dickson.

50 Vincenzo Equestre, director general de Louis Vuitton España, junto a Brad Butterworth, patrón de Alinghi, campeón del Valencia Louis Vuitton Act 11.

51 Dean Barker y Grant Dalton levantan los trofeos como ganadores del Valencia Louis Vuitton Act 12 y del 2006 ACC Louis Vuitton Championship.

32 **the**luckynumber
elnúmero**dela**suerte

JAVIER MARISCAL
Graphic Designer DiseñadorGráfico

32 is a very sensual number; distinctive, full of curves, and accentuated by that lone straight line in the 2 that finishes it off with the same determination you use to underscore a signature.

An aesthetic number with a bold outline that is a pleasure to write; twisting your wrist to make the most of its shape, to enjoy its sinuous lines, to fill its contours, to accentuate its curves… It is a number that sells itself. One you see on a lottery ticket and buy without a second thought just because it is beautiful, and you sense it will bring you luck.

Numbers like letters have their own essence and appearance; both are equally important, and even more so when working with graphic design. The 3 and the 2 are numbers that can be reproduced endlessly; bold, fine, informal, formal, dynamic, static, modern, revised, serious, or fun. Yet they never lose their essence, or their meaning. In the 32nd America's Cup, '32' describes a certain time and a certain place.

'32' appears in this edition's America's Cup logo as if it were a symbol alongside the brand. '32' is an important quantity, especially when it refers to the number of times the oldest sporting trophy in the world has been contested. In essence, the number alone expresses tradition, personality, prestige, an impressive past, a magnificent present and an exciting future. The symbolic value of 32 is one of the characteristic features of the event's graphic image; one that involves the great legend behind the competition.

The images of the 32nd America's Cup project tell the story of a sporting challenge with great prestige; exclusive and yet open. The warm colours convey visions of the Mediterranean, of Valencia, the Huerta (the fields) and the Albufera (the wetlands). Athletic, suggestive outlines describe a sporting legend that is an art. The rhythm of the composition expresses the power, the frantic activity, the competitiveness, and the speed. The fragmented photographs —almost abstract— generate, more than they illustrate, the avant-garde technology that pushes these fantastic racing yachts. The language of graffiti is universal, and invites a wider audience to share in this unique sailing adventure.

Every graphic expression, every image, every line, every object of this project are like the words of a dialogue that describe the inherent values of the 32nd America's Cup. If you understand the words, and they move you, then the image has succeeded; it is telling the story well. And that is graphic design.

El 32 es un número sensual, muy aparente, lleno de curvas, a excepción de esa recta del 2, que lo remata con la misma determinación con que se traza la línea final de una rúbrica. Es un número estético, que apetece escribir a mano, con un trazo grueso, girando la muñeca para sacarle mucho partido a su imagen, para disfrutar de sus sinuosas líneas, para rellenar sus perfiles, para extremar sus curvas... Es un número que se vende solo, de esos que los ves en un billete de lotería y lo compras sin pensar, sólo porque es un número bonito que adivinamos va a traernos suerte.

Los números, como las letras, tienen su esencia y su apariencia, y ambas son igual de importantes, sobre todo cuando uno se dedica a esto del diseño gráfico. El 3 y el 2 son números cuyas grafías admiten un sinfín de versiones, que los convierte indistintamente en gruesos, flacos, informales, formales, dinámicos, estáticos, actuales, revisados, serios o divertidos. En ninguna de esas versiones pierde su esencia. En todas sus formas mantiene su significado. En la imagen de America's Cup, el 32 significa un tiempo y un lugar concreto.

El número 32 aparece en el logotipo concebido para esta edición de la America's Cup, como si de un símbolo se tratara, acompañando a la marca America's Cup. El número 32 expresa una cantidad importante, especialmente si esta cifra es la suma de las ediciones de una competición deportiva. El 32, por sí solo, en su esencia, expresa tradición, solera, prestigio, un extenso pasado, un gran presente y un probable futuro. Este valor simbólico del número 32 es uno de los rasgos característicos de la imagen gráfica de este evento, una imagen en la que también se saca provecho de la propia leyenda que precede a la competición.

Las imágenes del proyecto 32.ª America's Cup narran la historia de un reto deportivo con mucho prestigio, muy exclusivo y, a la vez, muy mediático. Los colores calientes que las tiñen hablan del Mediterráneo, de Valencia, de la huerta y la albufera. Los trazos vigorosos y gestuales cuentan una leyenda deportiva que tiene mucho de arte. El ritmo de la composición explica la fuerza, la actividad frenética de unos tripulantes, la competitividad, la velocidad... Las fotos rotas, casi abstractas expresan, más que ilustran, la vanguardista tecnología que empuja a las fantásticas naves que compiten. El lenguaje de graffiti invita a los jóvenes y a los reacios a interesarse por esta aventura náutica.

Cada gesto gráfico, cada imagen, cada línea, cada objeto de este proyecto se ha utilizado como una frase, un adjetivo o una palabra que van componiendo un discurso coherente para lograr comunicar todos los valores que puede tener la 32.ª America's Cup. Si el público entiende ese discurso, si le motiva y le emociona, entonces su imagen irá bien, narrará una buena historia. Para eso sirve esto del diseño gráfico.

32nd AMERICA'S CUP

français

MICHEL BONNEFOUS

Président de la 32e America's Cup

Avant même qu'Alinghi ait commencé à participer à la 31e America's Cup, nous avions déjà une idée de ce que nous faire si nous avions la chance de gagner. Nous désirions que cette 32e édition soit la plus extraordinaire de tous les temps, l'élargir et l'adapter à l'Europe, la rendre populaire auprès du public et faire en sorte que l'émotion soit plus vive.

Et soudain, grâce à la victoire d'Alinghi en mars 2003, nous tenions l'America's Cup entre nos mains et nos rêves étaient devenus réalité. Nous devions transformer les projets en faits. Le bal de la 32e America's Cup était ouvert.

Selon nous, le choix du siège devait permettre que les régates puissent s'y dérouler sans interruption et sans être différées, que les équipes puissent travailler efficacement et que les visiteurs puissent s'imprégner de l'ambiance. Nous avons choisi Valence et grâce à nos efforts communs nous avons construit le Port America's Cup.

Nous souhaitions également mettre à profit le laps de temps qui nous séparait de l'America's Cup Match en faisant partager par un large public la passion et les valeurs de cet incroyable événement sportif. Concrètement, nous avons amplifié l'événement dans l'espace et dans le temps en organisant pas moins de treize Louis Vuitton Acts dans quatre villes d'Europe en quatre ans. Nous avons créé une America's Cup itinérante et exploré un monde totalement nouveau.

Maintenant que nous approchons du moment suprême et de la première plaidoirie d'Alinghi nos aspirations se sont matérialisées.

Toutes les pièces s'emboîtent parfaitement et nous avons mis sur pied toutes les répétitions générales nécessaires pour que chaque détail soit peaufiné. L'impressionnant Port America's Cup avec les bases des douze équipes, les 42 postes d'amarrage pour super-yachts et les 640 autres de la marina sont achevés. Le vent a soufflé en permanence et des dizaines de milliers de personnes nous ont rendu visite les jours de régates. Il est indubitable que tant le large éventail d'activités, d'attractions, de restaurants, de bars, de terrasses, d'exposition, de points de vue que, près de la plage, les boutiques, les lieux de promenade et les occasions de voir et d'être vu ont fait du Port America's Cup l'endroit où il faut être.

Et le meilleur est encore à venir : un trophée qui symbolise le summum de la haute technologie et auquel seuls les plus grands navigateurs à bord des bateaux les plus sophistiqués peuvent prétendre. Une compétition qui offre des émotions et provoque une passion que seul le sport peut éveiller. Avec pour toile de fond de grandes personnalités, du drame, du suspens et de l'ambiance.

Nous racontons notre histoire dans ce livre par le biais des images. Tout au long des chapitres nous présentons quelques aspects parmi tant d'autres de la manifestation que nous menons à bien. Je suis fier et ému d'annoncer que nous nous rapprochons du dernier compte à rebours qui est aussi l'étonnant héritage de la victoire d'Alinghi en 2003.

ROBERT PROCOP

Président de Garrard – Joaillier de la Couronne

L'America's Cup, un véritable chef-d'œuvre

L'orfèvrerie fait partie des plus anciennes activités artistiques humaines. Tout au long de son histoire, les maîtres ont transmis leurs techniques à leurs disciples par le biais de la tradition orale et l'observation des procédes, mais aussi grâce aux manuels d'apprentissage et à d'autres techniques pédagogiques traditionnelles. L'orfèvre doit être doté d'un certain instinct artistique, exigeant en ce qui concerne la qualité et être toujours respectueux des qualités spécifiques de chaque matériau et des techniques qui lui sont associées.

Les mêmes propos pourraient être tenus à l'égard de ces artistes qui composent les équipes de l'America's Cup. Dans leur cas l'instinct artistique c'est ce sixième sens que seuls les sportifs de haut niveau ont en partage et leur exigence vis-à-vis de la qualité se manifeste quand ils doivent faire des choix lors des entraînements et des régates, quand ils doivent dessiner et construire leurs bateaux et, en faisant preuve d'un grand sens de la discipline. Et bien que cette dernière qualité soit nécessaire dans les compétitions sportives de toutes sortes, elle l'est encore plus lorsqu'on doit composer avec le vent et la mer.

Les Garrard ont été les joailliers officiels de la Couronne britannique pendant plus de 150 ans. En 1848, peu avant le début de cette longue période, le poinçon de Robert Garrard fut apposé sur une aiguière en argent. Trois ans plus tard, ce récipient fut offert par le Premier Marquis d'Anglessey au Royal Yacht Squadron en guise de trophée destiné à récompenser le vainqueur d'une régate autour de l'île de Wight. En ce temps-là, il s'agissait sans conteste de la plus importante rencontre internationale de navigateurs à avoir jamais été organisée. Une goélette baptisée America, qui a la réputation d'avoir été le bateau le plus techniquement parfait de son époque, remporta la victoire.

Depuis lors, la coupe, rebaptisée America's Cup, a toujours été détenue par l'élite des meilleurs clubs nautiques du monde et c'est actuellement la Société Nautique de Genève qui en est le dépositaire. Il y aura toujours de nombreux prétendants, mais qui sait combien de temps s'écoulera jusqu'à ce que l'un d'eux en devienne le détenteur ?

Au cours de ses voyages à travers le monde, cette icône suscite toujours autant d'admiration et de murmures parmi ceux qui la contemplent. Elle alimente des imaginaires sans bornes, non seulement de par sa taille réelle, mais également en raison des gigantesques et incalculables efforts qu'il faut fournir quand on lutte pour l'obtenir.

DAVID CHIPPERFIELD

Architecte

Comment se fait-il que les immeubles ne soient pas aussi beaux que les bateaux ?

La responsabilité qui m'est échue de concevoir l'"Edificio Veles e Vents" m'a donné l'occasion d'admirer l'extraordinaire beauté et l'incroyable élégance des bateaux de l'America's Cup.

Les productions générées par le dessin industriel ont toujours été une des sources d'inspiration des architectes tant en ce qui concerne l'utilisation de la technologie qu'en ce qui se réfère au déterminisme de leur design. Les avions, les ponts et les automobiles ont de tous temps été admirés en raison de l'éclatante évidence avec laquelle ils répondaient à leur fonction. Tandis que l'aspect de bon nombre de ces "objets" est aujourd'hui de plus en plus contaminé par des questions de forme et de style, le design des bateaux de régates doit toujours autant faire preuve de respect en ce qui concerne le fonctionnalisme. Son design doit répondre à une nécessité : l'efficacité. D'autres véhicules sont aussi conçus avec pour critère essentiel la vitesse, mais il n'y en a aucun qui doit s'adapter avec autant de précision aux éléments naturels (le vent et l'eau). D'autant plus qu'on ne tient pas compte des questions concernant l'espace ou le confort pour la conception de ce genre de bateaux. Le seul but des concepteurs est de prévoir ce qui est nécessaire pour que les 17 membres de l'équipage puissent prendre place et accomplir leur mission.

En ce qui concerne la conception des bâtiments notre travail doit tenir compte d'exigences complexes et, parfois même, contradictoires. Nous aspirons constamment à la synthèse de plusieurs contraintes fonctionnelles et techniques en une idée singulière et cohérente. Ce n'est que lorsque notre projet est clair et que nos ambitions y sont bien retranscrites que nous pouvons dire que nos dessins ont un sens et qu'ils reposent sur une idée.

Si la conception de bateaux est un art à la fois vraiment unique et si beau c'est parce que sa fonction est si singulière et qu'il cherche à domestiquer le vent. L'évolution du design dans ce domaine a toujours été régie par la recherche d'un rapport dynamique entre la voile, la coque et la quille, sans se laisser influencer par d'autres considérations. Alors que nous sommes environnés par un design on ne peut plus conditionné par l'arbitraire du style et dont l'intention la plus visible est d'attirer l'attention, le design de ces magnifiques bateaux semble faire revivre la limpide évidence d'un autre temps.

Bien que nous ne puissions pas transposer le rapport qu'ont ces concepteurs avec un objet ayant une unique fonction dans des tâches impliquant des critères plus complexes, nous pouvons cependant nous inspirer de cette expérience. D'autant plus que, tandis que bien souvent nous nous lamentons sur la disparition de certaines traditions et techniques artisanales et sur le fait que les matériaux traditionnels sont remplacés par de nouveaux matériaux (d'une qualité moindre), nous pouvons remarquer que sur ces bateaux l'utilisation de nouvelles techniques et de nouveaux matériaux peut contribuer à leur beauté. Les progrès techniques résultants du développement de ce genre de bateaux ne sont pas aussi fréquents dans le domaine de la construction d'immeubles, en effet les progrès en matière de technique et de matériaux ne s'y succèdent pas à la même vitesse, les résistances aux changements y sont plus grandes et l'inventivité moins courante.

Pour ceux d'entre nous qui partagent la passion de la voile et celle du design, il y a peu d'objets qui réjouissent autant l'œil, l'âme et le corps que ces extraordinaires bateaux de l'America's Cup. À l'occasion de la 32e édition de cet extraordinaire événement sportif, nous devons rendre hommage à tous ceux qui conçoivent ces bateaux, mais également à tous ceux qui les font naviguer et qui s'occupent de leur entretien.

RITA BARBERÁ NOLLA

Maire de Valence

Une ville tournée vers l'avenir

Nous, les habitants de Valence, avons une vocation internationale et sommes tout disposés à faire connaître au monde entier notre dynamisme, notre modernité et notre place dans l'avant-garde contemporaine.

Nous avons décidé, il y a quatre ans, de poser notre candidature à l'organisation de la plus prestigieuse compétition nautique qui soit au monde (la 32e America's Cup) et nous l'avons obtenue. Et c'est avec la même détermination que nous avons pris notre place dans le concert des villes européennes ayant un grand prestige touristique, social et culturel.

L'America's Cup est un événement au retentissement universel qui permet, à l'heure actuelle, à des milliers de visiteurs de découvrir la nouvelle physionomie de Valence, physionomie dont nous sommes extrêmement fiers. Valence est une ville qui, au cours de sa longue histoire, a développé une personnalité unique, caractérisée par sa joie de vivre, sa créativité et sa capacité d'intégrer les nouveaux venus grâce à son sens de l'hospitalité. C'est une ville qui a su conserver l'essence de son passé, qui vit un moment extraordinaire et qui s'investit pour que son avenir soit radieux.

Les membres des équipages qui sont arrivés dans notre ville sont, depuis leur installation, devenus de véritables Valenciens, tout comme leurs familles. Ces sportifs, venus de Suisse, des États-Unis, d'Italie, d'Afrique du Sud, d'Allemagne, de Chine et de Nouvelle-Zélande, vivent au quotidien leur condition de Valenciens, ils ont pleinement adopté notre mode de vie et font désormais partie de notre environnement.

L'America's Cup a élargi son horizon à tous les publics. Nos docks sont devenus un endroit dont on tombe amoureux. Un endroit plein de vie face auquel la Méditerranée exerce toujours la même fascination qu'il y a 500 ans, lorsqu'elle a inspiré des vers au grand poète Valencien Ausias March. C'est cette poésie qui donne son nom au bâtiment "Veles e Vents" (Voiles et Vents), le plus célèbre du Port America's Cup.

Nous sommes en train d'organiser la meilleure édition de l'America's Cup et, pour ce faire, nous exigeons que toutes les infrastructures qui composent le Port America's Cup aient droit à la meilleure qualité. C'est un espace dont tout le monde pourra jouir et qui sera, ne l'oublions pas, le point de départ de la plus belle marina de toute la Méditerranée, la marina Real Juan Carlos I.

C'est dans ces eaux que naviguent en ce moment les meilleurs équipages du monde à bord de bateaux dont la sophistication technologique est extrême. Et c'est ce port qui est le reflet parfait de ce que sera Valence en 2007 : une ville d'avant-garde, créative et ayant le souci de l'excellence qui s'est définitivement ouverte sur la mer.

OLIN J. STEPHENS

Concepteur de bateau

Être à l'avant-garde, une tradition

Je suis né en 1908. Lorsque je me suis intéressé pour la première fois à l'America's Cup j'avais douze ans. Ce fut en 1920, juste avant la célébration de la 13e édition.

En Grande-Bretagne, la Première Guerre Mondial ayant laissé exangue toute une génération de jeunes hommes, la Coupe suivante ne put avoir lieu qu'en 1930. À ce moment-là, je m'étais déjà lancé dans la carrière de designer de bateaux de régates et des signes avant-coureurs de la chance qui m'a par la suite accompagné toute ma vie m'avaient déjà été adressés. En 1934, au cours de la 15e édition de l'America's Cup, j'obtins un poste en tant que membre de l'équipe de direction du "Weetamoe", qui participa aux épreuves de sélection du bateau devant défendre les couleurs de la Grande-Bretagne. Et bien que nous n'ayons pas réussi dans notre entreprise, ce fut pour moi une expérience d'une valeur inestimable. C'est par ce biais que je fus amené à travailler sur le design du bateau suivant.

Mike Vanderbilt me demanda de collaborer avec Starling Burgess en tant que co-designer d'un nouveau bateau de la catégorie J-Class, cette embarcation devint finalement célèbre sous le nom de "Ranger". Les célèbres chantiers navals de Bath Iron Works qui existent encore de nos jours, furent choisis pour la construction et un petit groupe d'ingénieurs et de dessinateurs industriels nous furent adjoints pour nous aider dans ce projet si particulier. Une des réussites majeures de Vanderbilt fut de parvenir à réunir les meilleurs spécialistes dans chaque domaine afin qu'ils travaillent ensemble. Et c'est ainsi que ce groupe constitua la première équipe de designers de l'histoire de l'America's Cup.

Nous voulions utiliser de l'acier pour la coque et de l'aluminium pour l'appareillage du "Ranger". Et c'est dans le but de brouiller les pistes que notre projet de bateau fut répertorié comme étant un destroyer expérimental en aluminium destiné à l'US Navy. Le projet fut mené avec tellement de ruse et d'astuce que pour rendre le mensonge crédible et pour pouvoir tester les matériaux de façon adéquate, nous construisîmes une petite partie de ce qui aurait dû être la structure de la partie médiane d'un destroyer en aluminium. Puis nous la mîmes à l'eau pour tester sa durée de vie et son incorruptibilité.

Afin de ne pas trop m'étendre sur ce sujet, je vous dirai simplement que ce sont toutes ces recherches de pointe, pour l'époque, dans le domaine de l'architecture navale, qui ont permis le spectaculaire succès du "Ranger". Nous utilisâmes de petites maquettes à l'échelle du bateau dans un canal hydrodynamique.

La Deuxième Guerre Mondiale provoqua une nouvelle interruption de l'America's Cup. Par la suite, cette compétition survécut en partie grâce à la décision du New York Yacht Club d'imposer aux bateaux participants une taille et un coût plus raisonnables. Les bateaux de la puissante J-Class qui pouvaient mesurer jusqu'à 135 pieds de longueur totale (45 mètres), laissèrent la place au format relativement modeste des 12-Mètres qui mesuraient à peine plus de 60 pieds (20 mètres).

Comme j'avais une grande expérience de designer de ce type de bateaux, l'ère des 12-Mètres fut à nouveau pour moi une époque heureuse. À Newport, au cours des éditions de l'America's Cup qui eurent lieu pratiquement tous les trois ans entre 1957 et 1983, les 12-Mètres ne cessèrent de naviguer. Au cours de cette période, mon entreprise, Sparkman & Stephens, conçut cinq bateaux victorieux, dont deux remportèrent cette compétition à deux reprises. De plus, je me réjouis de pouvoir souligner que le bateau qui a perdu en 1983 n'a pas été conçu par les bureaux de S&S.

L'échec à l'édition de 1983 de l'America's Cup entraîna une situation totalement chaotique, même s'il ne s'agit là que d'une opinion personnelle. Ce qui s'est passé depuis est merveilleux mais j'espère que quelqu'un d'autre racontera cette histoire.

DYER JONES

Directeur de Régate

L'évolution d'une icône

Quand l'America's Cup a revu le jour en 1958, la catégorie des 12-Mètres a été acceptée pour la première fois, ce qui ne l'a pas empêchée de continuer à être un événement réservé à un groupe d'initiés très select. Au cours des décennies qui ont suivi son importance s'est accrue et c'est devenu une des manifestations les plus suivies et les plus importantes dans le domaine de la voile. Pour les concurrents qui n'étaient pas Américains, l'America's Cup était un rêve dans lequel ils pouvaient certes jouer le rôle de figurants mais pas celui de vainqueurs. Cependant de plus en plus de clubs nautiques étrangers ont relevé le défi au fur et à mesure que les années passaient. Et comme son prestige s'accroissait en même temps, elle est redevenue la Régate par excellence. Grâce aux célébrités, à la technologie, au sport et aux bateaux...

Et c'est en 1983 qu'a eu lieu ce qui semblait impossible. Un challenger a remporté l'America's Cup.

Les éditions suivantes se sont déroulées sous des cieux lointains. Éloignés du havre dans lequel elle avait trouvé refuge durant 132 ans. Elle s'est déplacée en Australie, en Californie, en Nouvelle-Zélande et en Europe. Il n'y a guère plus de cinq clubs nautiques qui l'ont remportée depuis 155 ans qu'elle existe. Aussi est-il normal de considérer que c'est un trophée particulièrement difficile à conquérir.

Depuis cette journée de mars 2003 où Alinghi a défait Team New Zealand et que la Société Nautique de Genève est devenue l'organisme de tutelle de l'America's Cup et la responsable de l'organisation de la 32e édition, on a l'impression que les vingt dernières années se sont comprimées en vingt mois. Une flotte de douze bateaux de l'America's Cup Class s'est déplacée dans quatre pays d'Europe. Nous avons organisé des centaines de régates de l'America's Cup dans chacun de ces endroits. Nous avons assisté à une compétition nautique acharnée au cours des douze derniers Louis Vuitton Acts, sans parler des départs, des milles navigués, des endroits et des arrivées dignes d'une photo-finish. Et ces compétitions ont attiré de grandes foules, des centaines d'heures de tournage ont été diffusées à la télévision et des dizaines de milliers de mots ont étés écrits à leur propos dans la presse.

Et bien que tous ces succès soient tangibles il n'en demeure pas moins vrai que deux manifestations capitales n'ont pas encore eu lieu puisque la Louis Vuitton Cup et l'America's Cup Match doivent encore se dérouler. Le rythme est rapide et le style acéré, un nouveau chapitre de l'histoire de l'America's Cup est en train d'être écrit.

BRAD BUTTERWORTH

Patron d'Alinghi

Mon cheminement vers l'America's Cup

Quand, le 23 juin, nous franchirons la ligne de départ, ce sera pour nous battre et gagner à nouveau l'America's Cup. Bien sûr que je serai nerveux à l'idée de commettre des erreurs mais j'essaierai de bien faire mon travail tout en espérant que l'équipage fera bien le sien. Cela ne durera qu'un instant.

J'ai grandi en Nouvelle-Zélande où les sports nautiques sont à la fois un loisir et un sport et l'America's Cup représente le nec plus ultra dans ce domaine. C'est la compétition la plus difficile parce qu'elle requiert un grand savoir, un travail en équipe et des dispositions naturelles mais c'est aussi celle qui donne le plus de satisfactions.

Mon père m'a initié à la navigation quand j'avais cinq ans et j'ai acquis de bonnes bases sur des voiliers légers et de croisière. J'ai découvert l'America's Cup quand j'avais neuf ans et que je naviguais sur un bateau d'entraînement de l'équipe nationale, un P-class. La seule chose dont je pouvais alors rêver était de travailler un jour pour une équipe étrangère participant à cette compétition. Je n'aurais jamais pu imaginer que la Nouvelle-Zélande pourrait un jour avoir les ressources nécessaires pour lancer un défi. Et encore moins pour gagner !

Comme j'ai remporté quelques victoires ce sport est devenu un mode de vie à part entière, pour moi et ma famille. Par contre je n'oublierai jamais le fait qu'il s'agit d'un sport et qu'on doit par-dessus tout y prendre du plaisir, sans quoi il vaut mieux faire autre chose.

Parmi les moments culminants de ma carrière il faut citer le fait d'avoir fait équipe avec Russell Coutts en 1992, puis d'avoir poursuivi nos propres objectifs en 1995, 2000 et, à nouveau, en 2003. Il faut aussi ajouter que j'ai eu la chance de naviguer avec quelques-uns des noms qui ont compté dans l'histoire moderne de l'America's Cup tels que Dennis Conner et Tom Whidden.

Après vingt ans de participation à l'America's Cup la lutte pour la victoire est la seule chose que j'ai en tête. De plus, il n'y a pas beaucoup d'occasions de naviguer à un tel niveau durant de longues années. C'est pourquoi je m'accroche bien fort tant que c'est dans mes cordes !

J'ai toujours pensé qu'il fallait aller de l'avant et ne pas trop s'apesantir sur les erreurs, même s'il faut en tirer les leçons et persévérer. C'est justement ce que nous faisons chez Alinghi et c'est ce que nous continuerons à faire pour gagner à nouveau l'America's Cup en juin.

JAVIER MARISCAL

Designer

32, le nombre qui porte chance

32 est un nombre sensuel, très voyant, tout en courbes mis à part la dernière ligne droite du 2 qui l'achève avec la détermination que l'on a lorsqu'on tire le dernier trait d'une rubrique. C'est un nombre esthétique, on a un certain plaisir à l'écrire à la main, d'un trait appuyé qu'on accompagne d'une torsion du poignet afin de tirer le plus grand parti de sa silhouette, de jouir de ses lignes sinueuses, de bien marquer ses pleins et ses déliés et d'accentuer ses courbes… C'est un nombre facilement vendable, de ceux que l'on voit sur un billet de loterie qu'on a aussitôt envie d'acheter juste parce que c'est un joli nombre et qu'on pressent qu'il va nous porter chance.

Les nombres tout comme les lettres sont dotés d'une essence et d'une apparence qui ont exactement la même importance surtout lorsqu'on se consacre au design. Le 3 et le 2 sont des chiffres qui permettent un nombre infini de variantes qui, à leur tour, les rendent gros, maigres, décontractés, convenables, dynamiques, statiques, actuels, réactualisés, sérieux ou amusants. Mais, quel que soit le parti-pris ils ne perdent jamais leur essence. Et, quelle que soit leur forme, leur signification reste évidente. Sur l'image de l'America's Cup, le 32 désigne un moment et un lieu précis.

Le nombre 32 figure sur le logo conçu à l'occasion de cette édition de l'America's Cup comme s'il s'agissait d'un symbole qui accompagnerait la marque America's Cup. Le nombre 32 fait penser à une grande quantité surtout lorsque ce nombre est l'addition de toutes les éditions d'une compétition sportive. Le nombre 32 est synonyme, à lui tout seul et de par son essence, tout à la fois de tradition, de réputation bien établie, de prestige, de long passé, de magnifique présent et d'avenir probable. La valeur symbolique du nombre 32 est l'un des traits caractéristiques de l'image graphique de cet événement, image qui permet de tirer parti de la dimension mythique qui va de pair avec cette compétition.

Les visuels du projet 32nd America's Cup racontent l'histoire d'un défi sportif très prestigieux, très sélect et en même temps très médiatisé. Les chaudes couleurs dont elles se parent évoquent la Méditerranée, Valence, la "huerta" (potager) et la "albufera" (lagune valencienne). Les traits vigoureux et expressifs racontent une légende sportive qui a beaucoup à voir avec l'art. Le rythme de la composition représente la force, l'activité frénétique des équipages, la concurrence, la vitesse, etc. Les photographies découpées, presque abstraites, expriment plus qu'elles n'illustrent la technologie d'avant-garde qui fait avancer les fabuleux bateaux en compétition. Le langage visuel, emprunté aux graffiti, est une invite à s'intéresser à cette aventure nautique, invite qui s'adresse aux jeunes et à tous ceux qui sont réticents.

Tous les éléments graphiques, toutes les images, toutes les lignes, tous les objets de ce projet ont été utilisés comme des phrases, des adjectifs ou des mots qui composent un discours cohérent permettant de retransmettre toutes les valeurs liées à la 32e édition de l'America's Cup. Si ce discours est bien saisi par le public, le touche et le motive c'est qu'il raconte une bonne histoire et que cette image fonctionne bien. Tel est le but du design.

LE TROPHÉE

1 La Coupe de 100 Guinées, remportée pour la première fois par la goélette America en 1851, est le plus vieux trophée sportif au monde.

2 Alinghi et son fondateur, Ernesto Bertarelli, sont entrés dans l'histoire le 2 mars 2003 lorsque l'équipe suisse a vaincu Team New Zealand à Auckland.

3 Genève est le siège de l'ONU en Europe, du Comité International de la Croix Rouge, de l'Organisation Mondiale du Commerce, de l'Organisation Mondiale de la Santé, de l'Organisation Mondiale du Travail… et, depuis 2003, le lieu où se trouve l'America's Cup.

4 Valence accueille la 32e America's Cup et le monde entier peut découvrir la très ancienne tradition commerciale de cette ville, symbolisée par certains bâtiments tels que la Lonja qui est l'endroit où était autrefois négociée la soie.

5 En 2004, le port de Marseille fut le point de départ du périple de la 32e America's Cup.

6 Quand les Trapani Louis Vuitton Acts 8 & 9 ont eu lieu, l'Italie est devenue par la même occasion le quatrième pays européen à accueillir des régates de l'America's Cup.

7 À Paris, la victoire symbolisée par l'Arc de Triomphe et l'America's Cup.

8 L'America's Cup et la Louis Vuitton Cup, quelque part sur la Grande Muraille longue de 6.350 kilomètres. La Chine participera pour la première fois à la 32e America's Cup.

9 Les plus prestigieux trophées nautiques du monde face à la statue d'Alphonse XIII, arrière-grand-père de Sa Majesté le Roi Juan Carlos, dans le parc du Retiro, à Madrid.

10 L'America's Cup semble observer les changements spectaculaires de New York, ville qui l'a abritée pendant 132 ans, de 1851 à 1983.

11 L'Olympic Park de Munich est une œuvre architecturale magnifique et l'America's Cup, un trophée monumental. L'Allemagne prendra part pour la première fois à cette compétition.

12 « Valence ! ». Le 26 novembre 2003, les habitants de Valence laissèrent éclater leur joie lorsqu'elle fut choisie comme Ville Hote de la 32e America's Cup.

ARCHITECTURE ET DESIGN

1 Entre novembre 2003 (sur la petite photo) et juin 2006, Valence s'est transformée et ouverte sur la mer pour être prête pour son rendez-vous sportif le plus important.

2 10 500 mètres carrés consacrés à la détente, au design et au minimalisme. Les quatre étages du bâtiment Veles e Vents abritent un subtil mélange d'architecture et de rêve.

3 Le bâtiment conçu par David Chipperfield et Fermín Vázquez fut élevé en huit mois et est devenu la réussite architecturale la plus marquante de la 32e America's Cup.

4 « Le sol se plie de manière à ce qu'une partie remonte en angle droit et que la partie suivante se situe parallèlement à la première partie plate, donnant ainsi lieu à une nouvelle perpendiculaire ». (Julio Cortazar, Mode d'emploi pour monter un escalier).

5 L'apparente simplicité des lignes droites de l'édifice Veles e Vents est le résultat d'une étude d'ingénierie fort complexe.

6 Ceux qui ont conçu les hangars du Port de Valence en 1910 ne pouvaient pas imaginer que, 97 ans plus tard, les meilleurs équipages du monde s'y partageraient l'espace.

7 Les bases protègent les secrets les mieux gardés des concurrents : le design de leur bateau, leurs stratégies pour la régate, leur plan de bataille.

8 Le choix des matériaux répond au souci d'afficher une certaine personnalité. Ci-dessus un détail du bois de teck utilisé pour la base de United Internet Team Germany.

9 La palette des couleurs de la 32e America's Cup est interminable. L'équipe en vert est le Desafío Español 2007.

10 12 équipes, 12 bases, un foyer pour plus de 1 500 professionnels.

11 Le Port America's Cup donne une impression de tranquillité à la tombée du jour, mais chez BMW ORACLE Racing on travaille sans relâche.

12 Beaucoup de distinction et de champagne pour célébrer la victoire dans l'espace le plus sélect de chaque base.

13 L'espace réservé aux invités de Mascalzone Latino – Capitalia Team prêt à accueillir ses visiteurs. Dans quelques heures ils n'auront tous qu'une idée en tête : la régate.

14 Chez Alinghi rien n'est laissé au hasard. Le logo trône au plafond, sur le sol il y a leurs couleurs et au fond… l'équipe.

15 Renzo Piano créa pour la base Luna Rossa une véritable œuvre vivante, donnant ainsi une forme matérielle à un poème de Federico García Lorca : « Lorsque la lune se lève, la mer recouvre la terre et le cœur a l'impression d'être une île dans l'infini ».

16 On peut deviner la queue du Dragon sur le squelette de la base de China Team.

17 Mascalzone Latino veut dire « canaille latine », il ne faut cependant pas croire à une plaisanterie, cette équipe est venue à Valence pour décrocher la victoire.

18 Jour après jour, l'équipe allemande a construit une base opérationnelle digne des meilleures.

19 Une vaste base et plus de 100 personnes qui travaillent en son sein, tout a été mis en œuvre pour que les 17 hommes composant l'équipage du bateau espagnol atteignent le plus haut niveau.

20 L'agressivité de la couleur noire constitue la caractéristique de l'équipe suédoise.

21 La France va essayer pour la dixième fois consécutive de remporter le prestigieux trophée, cette fois-ci elle a choisi un gris très discret.

22 La Nouvelle-Zélande a dû naviguer jusqu'à ses antipodes pour récupérer ce qui, quatre ans auparavant, a été perdu, et elle n'a pas lésiné sur les moyens.

23 Grâce à la synergie mise en œuvre la base Luna Rossa a été recouverte de 485 panneaux confectionnés avec les voiles utilisées lors de la Louis Vuitton Cup 2002/2003.

24 Technologie et sérieux, BMW ORACLE Racing.

25 Team Shosholoza représente une nation, une équipe, un rêve !

26 Le participant italien +39 Challenge peut être défini en un mot : sacrifice.

27 Les 9 375 mètres carrés de la base Alinghi s'élèvent sur le Port America's Cup, comme pour donner des preuves de sa puissance.

LES GENS

1 Valence, une ville qui s'est totalement investie dans la 32e America's Cup.

2 Les terrasses du bâtiment Veles e Vents, les meilleurs gradins du monde.

3 À Trapani, la visite de la 32e America's Cup reste un événement unique.

4 Un hommage est rendu aux plus de 1 000 Volontaires de la 32e America's Cup.

5 Sur le simulateur de l'America's Cup Park, deux amateurs imitent ceux qui "moulinent" sur les bateaux.

6 Comme dans toute enceinte sportive, la sécurité du public est primordiale.

7 Avec un peu d'imagination n'importe qui peut devenir un des meilleurs capitaines du monde.

8 L'avenir regarde le présent. Face à lui, un rêve.

9 L'America's Cup Park : des distractions pour tous les publics.

10 Tout commença comme un jeu et à présent, il s'agit du trophée le plus prestigieux du monde.

11 Les équipages de la 32e America's Cup ont à cœur la propreté de leurs embarcations. Car leur machinerie est extrêmement délicate.

12 Une participation à l'America's Cup exige une grande préparation car le chemin à parcourir est long et difficile.

13 L'image classique des membres de l'équipage "moulinant" de toutes leurs forces.

14 Quelques personnalités originaires de plusieurs pays et célèbres dans différents domaines qui ont été sensibles à l'appel de l'America's Cup.

15 Des centaines de personnes travaillent sans cesse pour que l'America's Cup ait une répercussion dans le monde entier.

16 Il n'y a rien de plus agréable que de faire du sport en famille.

17 La couleur, la lumière et le design contribuent à créer une atmosphère agréable dans les espaces de détente et de travail de la 32e America's Cup.

18 À l'issue de chaque régate, les équipages retrouvent les médias pour communiquer leurs impressions sur la journée.

19 Iain Percy, Brad Butterworth, Sébastien Col, Dean Barker, Jesper Bank, Magnus Holmberg, Pierre Mas, Chris Dickson, Luis Doreste, Mark Sadler, Vasco Vascotto et Francesco de Angelis.

20 Glamour, distinction, chic et avant-gardisme… le Foredeck Club de la 32e America's Cup est sans aucun doute le lieu où il faut se rendre pour voir et être vu.

LA TECHNOLOGIE

1 Le bulbe d'un bateau de l'America's Cup concentre 20 tonnes d'un alliage de plomb et d'antimoine qui compensent, sous l'eau, la force exercée par le vent sur les voiles.

2 24 mètres de long, quatre mètres de large et plus de 35 mètres de hauteur… un puissant engin.

3 Toutes les parties des embarcations qui sont en contact avec l'eau sont polies jusqu'à ce qu'elles soient parfaitement lisses en effet, moins de frottement équivaut à davantage de vitesse.

4 Toutes les après-midi, les équipages sortent les bateaux de l'eau, c'est une opération délicate et qu'ils effectuent donc avec une extrême prudence. C'est que des investissements s'élevant à des millions d'Euros sont en jeu ainsi que des milliers d'heures de travail.

5 À chaque fois que les bateaux sortent en mer, les voiles sont séchées, inspectées et réparées. Le moindre accroc peut faire tomber à l'eau toute l'entreprise.

6 Les membres les plus expérimentés de l'équipage inspectent tout, centimètre par centimètre, à la recherche de la moindre anomalie.

7 Les haubans soutiennent le mât latéralement et sont soumis à des tensions et à des pressions brutales.

8 Plus de 33 mètres de fibre de carbone, des capteurs et des rod en acier, il s'agit d'un mât de l'America's Cup.

9 Les équipes chargées du design de Luna Rossa et d'Emirates Team New Zealand ont trouvé des solutions très différentes l'une de l'autre pour la conception de leur proue.

10 Le bout-dehors de l'USA 87 appartenant à BMW ORACLE Racing a éveillé de nombreuses suspicions, la rumeur affirmait qu'il dissimulait quelque chose de révolutionnaire sous l'eau.

11 Qu'a donc ce bateau pour être aussi rapide ?

12 L'ITA 77, le GER 72 et l'ITA 59 : ces trois bateaux ont participé à des éditions précédentes et sont les ancêtres des embarcations actuelles. Quelle évolution en si peu de temps !

13 Un des deux étais de la poupe peut supporter une tension de douze tonnes et en l'espace d'une seconde plus aucune tension, tandis que l'autre étai doit devenir en ce même laps de temps aussi dur qu'une barre d'acier.

14 Détail d'une bôme, aussi noir que la fibre de carbone qui entre dans sa composition.

15 Les systèmes de saisie des conditions météorologiques ont des conséquences sur les formes des bateaux.

16 Le cordage des America's Cup Class est le plus perfectionné qui soit.

17 Les bastaques sont très importants, ils évitent la torsion du mât. Si celui qui en a la responsabilité commet une erreur, le mât se brise.

18 Le marin qui est chargé de régler le génois doit aussi maintenir la voile pour qu'elle soit en parfait état, il utilise pour cela un winche, c'est-à-dire un tambour en kevlar et en carbone.

19 Le chariot de la grande voile sert à ajuster l'angle de la bôme ; le membre de l'équipage qui le manipule est toujours l'un des plus expérimentés étant donné les difficultés que présente son maniement.

20 Les moulinets ou grinders ont de multiples fonctions et les personnes qui en sont responsables doivent les faire tourner le plus vite possible.

21 L'intensité et la direction du vent, l'ajustage des voiles, la vitesse du bateau et des centaines d'autres facteurs doivent être conciliés pour pouvoir naviguer au plus haut niveau.

22 Les étendues d'eau sur lesquelles se déroulent les régates sont parsemées de bouées météorologiques qui captent des renseignements qui sont aussitôt communiqués aux experts des équipages

pour qu'ils établissent leurs prévisions météorologiques pour la journée.

23 Un caméraman manipule l'objectif placé sur l'un des bateaux chargés de retransmettre le déroulement des régates.

24 Quel bateau se trouve en tête ? de combien mène-t-il ? dans quelle direction va-t-il ? combien de temps reste-t-il… ? lors de la 32e America's Cup on aura la réponse à toutes ces questions et à bien d'autres si on suit la course en direct sur un ordinateur connecté à l'Internet.

25 Le moindre aspect de la retransmission est contrôlé au millième de seconde près.

26 Que deviendrait l'America's Cup si, tout autour du monde, des centaines de millions de foyers ne pouvaient la suivre ?

UN CIRCUIT INTERNATIONAL

1 La 32e édition de l'America's Cup est la plus internationale de toute son histoire pour diverses raisons, l'une d'entre elles est le fait que 2 000 tonnes de matériel ont voyagé dans quatre pays d'Europe.

2 En 2004, Emirates Team New Zealand dut envoyer d'urgence un bateau de Nouvelle Zélande à Valence. La coque est rentrée tout juste dans l'avion.

3 L'Afrique, l'Europe et l'Asie… trois continents voyageant dans le même navire.

4 L'événement va se dérouler sur une scène européenne plus de 155 ans après la première régate sur les côtes de l'Angleterre.

5 Le Marseille Louis Vuitton Act 1 fut la première régate de la 32e America's Cup.

6 Six équipes prirent part à la compétition en France, ce fut un prologue remarquable.

7 La fête d'ouverture des Valencia Louis Vuitton Acts 2 & 3 fut spectaculaire, la Ville d'Accueil souhaitait ainsi la bienvenue à ses nouveaux habitants.

8 Les valenciens applaudirent les représentants d'Alinghi avec effusion, c'est en effet grâce à ces derniers que tout cela se passait chez eux.

9 À chaque fois qu'il y a une régate, des centaines de bateaux escortent les voiliers les plus sophistiqués qui soient.

10 Le Port de l'America's Cups s'étend sur plus de 900 000 mètres carrés, ce qui fait de lui la plus grande installation au monde à avoir été expressément construite pour une compétition nautique.

11 En naviguant sur les eaux argentées de Malmö-Skåne (Suède, août 2005).

12 Les régates réservées aux flottes sont une des nouveautés de la 32e America's Cup et un spectacle complet.

13 Les équipages racontent que l'ambiance dans laquelle ils ont vécu à Trapani fut extraordinaire (Sicile, septembre et octobre 2005). Ils ont travaillé au coude à coude, ils se sont entraidés… ce qui était totalement nouveau.

14 Le soleil se couche sur l'île de Favignana, demain sera un autre jour.

15 L'espace d'une nuit, le centre de Trapani se transforma en un gigantesque restaurant où des centaines d'invités célébrèrent les Trapani Louis Vuitton Acts 8 & 9.

16 L'Amerigo Vespucci surveille la régate opposant le BMW ORACLE Racing au Mascalzone Latino – Capitalia Team.

17 Une véritable œuvre d'art de la navigation.

18 Le détenteur du trophée, Alinghi, et le premier des challengers, BMW ORACLE Racing, s'opposent lors du dernier affrontement du Match-Race de 2005 Louis Vuitton ACC Championship.

19 La Cité des Arts et des Sciences constituait le principal attrait de Valence jusqu'à l'arrivée de la 32e America's Cup.

20 Le désir des valenciens d'être à la page se manifeste dans des projets architecturaux tels que le Palais des Arts Reina Sofía.

21 « L'Oceanográfic » est un des joyaux de la Ville d'Accueil.

22 Le Port America's Cup. Et Valence s'ouvrit à la mer.

L'ÉMOTION

1 Deux bateaux de 24 mètres avec 17 membres d'équipage à bord se battent pour la première place avant le signal de départ, un spectacle incroyable, unique…

2 … ils virent sur eux-mêmes, se cherchent, s'attaquent, la bataille a commencé !

3 Quelques mètres avant d'arriver à la bouée au vent, Emirates Team New Zealand met la pression sur BMW ORACLE. Ça c'est un Match-Race!

4 « Trois longueurs, deux longueurs, une longueur ! » Les adversaires se pressent vers la ligne de départ. La régate commence !

5 La beauté esthétique de l'America's Cup est sans pareille et chaque embarcation est une œuvre d'art de 24 tonnes.

6 Les bateaux sont équipés de systèmes saisissant des milliers de données à chaque seconde… mais la meilleure façon de savoir d'où vient le vent consiste toujours à envoyer un homme à sa recherche.

7 Le stratège, posté tout en haut du mât, étudie le parcours de la régate tandis que le dix-huitième membre de l'équipage profite d'une journée inoubliable.

8 La communication non verbale est essentielle pour l'équipage. Ici, le marin posté à la proue dit au capitaine : « Tu vas trop vite et tu traverseras la ligne trop tôt ».

9 Contre le vent, sous le vent. Le génois et la plus grande voile… Le génois en bas, et le spinnaker en haut… Le spinnaker et la plus grande voile.

10 Douze équipages en provenance de dix pays situés sur les cinq continents. Et il faut absolument être le premier.

11 Le temps et la distance. Les marins situés sur les proues évaluent la distance restante avant la ligne de départ, une manœuvre répétée pendant des années jusqu'à ce qu'elle soit parfaitement exécutée.

12 De même que la goélette America a été en 1851 le bateau le plus perfectionné de son époque, ceux qui participent à la 32e America's Cup le sont aussi par rapport à la leur.

13 Le hissage du spinnaker à proximité de la bouée au vent est une manœuvre délicate et Luna Rossa Challenge est l'une des équipes qui la réalisent le mieux.

14 Seule la nature est capable de surpasser l'élégance d'un bateau de l'America's Cup.

15 Il y a deux mille ans la Méditerranée était le « Mare Nostrum » romain. Actuellement,

l'Italie est le pays qui compte le plus grand nombre d'équipages inscrits.

16 La présence du dragon du China Team symbolise à quel point le prestige de la 32e America's Cup est devenu universel. La puissance émergente n'est pas prête à repartir.

17 Étant donné que la vitesse du +39 Challenge est moindre que celle de ses concurrents, l'équipage compense cet handicap en réalisant des manœuvres très risquées et d'une agressivité presque violente.

18 Le Desafío Español 2007 et Mascalzone Latino-Capitalia Team se sont opposés au cours d'affrontements acharnés.

19 À toute vitesse vers la ligne de départ. L'équipage de Vasco Vascotto a accompli un grand exploit en réussissant à vaincre Jesper Bank et les siens.

20 Valence a toujours été un port commercial très prospère et l'America's Cup l'a également consacré en tant que port adapté à ce sport d'élite.

21 China Team est l'aboutissement d'un rêve et un nouveau point de départ pour un projet encore plus ambitieux.

22 Team Shosholoza reflète les valeurs adoptées par l'Afrique du Sud contemporaine. Le travail, le courage et la passion de tout un pays naviguent avec lui.

23 Depuis le 2 mars 2003, il n'y a qu'un seul objectif pour Emirates Team New Zealand : récupérer ce qui leur a été ravi par Alinghi.

24 Telles des épées brandies pour la bataille ; les membres des équipages sont prêts à en découdre.

25 Le GER 72 de United Internet Team Germany et le SUI 75 d'Alinghi naviguent proue contre proue.

26 Concentration, force, équilibre, discipline, expérience, pression, tactique… un instantané.

27 BMW ORACLE Racing est arrivé à Valence pour rendre aux Etats-Unis ce qu'ils ont possédé pendant 132 ans et qu'Alinghi, en tant que premier défenseur européen, a l'intention de conserver.

28 Le marin posté à la proue exécute chaque mouvement avec l'habileté d'un acrobate et les précautions minutieuses d'un chirurgien. C'est que tout peut échouer à la suite d'un faux pas.

29 Le spinnaker pourrait recouvrir deux terrains de tennis et est aussi fin qu'un mouchoir en soie.

30 Lorsque des bateaux naviguent avec un vent qui leur est favorable, ceux qui sont derrière font tout leur possible pour faire écran afin que ceux qui les précèdent ne bénéficient pas autant de la force du vent, et qu'ils perdent ainsi de la vitesse pour pouvoir enfin les doubler.

31 Et un sous-marin émergea des eaux de Malmö-Skåne pour profiter du spectacle de la régate qui opposait le défenseur Alinghi à l'équipe locale, le Victory Challenge.

32 Une déchirure microscopique peut être élargie par la force du vent au point de faire exploser toute la voile.

33 Les 500 mètres carrés du spinnaker se gonflent comme un gigantesque ballon (d'un millimètre d'épaisseur) soumis à des milliers de kilos de pression.

34 Le stratège du Shosholoza hisse le drapeau pour demander que son adversaire (qui a des problèmes au niveau de la tête de son mât) soit pénalisé.

35 Emirates Team New Zealand et Alinghi naviguent avec le vent en poupe, tandis que Mascalzone Latino et le Desafío Español 2007 naviguent contre le vent.

36 Du travail, encore du travail, toujours du travail… 12 équipages et 204 hommes qui font tout leur possible.

37 Le tangon, la proue, l'étai, le gennaker, la girouette, la traverse, les haubans, le banc de sable, des petites laines et de l'eau.

38 Le spinnaker est hissé, il faut baisser le génois. Nous avons le vent en poupe !

39 Si en baissant les voiles le spinnaker touche l'eau, il freinera le bateau au point de le faire complètement partie à la dérive…

40 … c'est pourquoi les membres de l'équipage s'efforcent de le récupérer à toute vitesse.

41 Le passage avec le vent en poupe se termine au niveau de la porte sous le vent où les bateaux se disposent à virer de bord pour faire le retour contre le vent.

42 Le bateau français Areva Challenge et le sud-africain Shosholoza préparent le tangon pour contourner la bouée tels deux chevaliers élevant leur lance dans une joute médiévale.

43 Deux membres d'équipage montent le plus vite possible tout en haut du mât. Leur tâche est de renseigner le capitaine quant à l'évolution du vent.

44 Quand deux bateaux se croisent on assiste à un des moments les plus palpitants de la régate et cela permet aussi de savoir qui est en train de gagner et qui est en train de perdre.

45 Le passé, le présent et l'avenir… Quel est le destin de l'America's Cup ?

46 La lutte est sans trêve mais rien ne pourra arrêter des équipes disposées à repousser toutes les limites pour remporter la victoire.

47 Yves Carcelle, président de Louis Vuitton, remet le trophée au vainqueur du Marseille Louis Vuitton Act 1, Chris Dickson, capitaine et président de BMW ORACLE Racing.

48 Jochen Schuemann, directeur sportif d'Alinghi, reçoit des mains de Bruno Troublé, le trophée destiné au vainqueur du 2005 ACC Louis Vuitton Season Championship.

49 Christine Bélanger, responsable de Louis Vuitton auprès de l'America's Cup, remet le trophée destiné au vainqueur du Valencia Louis Vuitton Act 10 à Chris Dickson.

50 Vincenzo Equestre, directeur général de Louis Vuitton Espagne, en compagnie de Brad Butterworth, patron d'Alinghi, champion du Valencia Louis Vuitton Act 11.

51 Dean Barker et Grant Dalton élèvent leur trophée après avoir remporté le Valencia Louis Vuitton Act 12 et le 2006 ACC Louis Vuitton Season Championship.

32nd AMERICA'S CUP

italiano

DAVID CHIPPERFIELD
Architekt

Warum sind Gebäude nicht so schön wie Yachten?

Der Auftrag, das Gebäude Veles i Vents zu entwerfen, ließ mich zu einem Zeugen der außergewöhnlichen Schönheit und Eleganz der Yachten des America's Cup werden.

Die Architekten haben schon immer Anregungen bei den Erzeugnissen des Industriedesigns gesucht, um dessen Technologie zu nutzen und sie in ihren eigenen Entwürfen zu integrieren. Flugzeuge, Brücken und Kraftfahrzeuge sind schon immer für ihre eindeutige funktionsgerechte Gestaltung bewundert worden. Während heute viele dieser Objekte mit formalen und stilistischen Aspekten kontaminiert sind, hat das Design der Regattayachten diese ursprüngliche „Reinheit" bewahrt. Ihr Entwurf wird von einer einzigen Leistungsanforderung bestimmt. Auch andere Fahrzeuge können nach Maßgabe von Geschwindigkeitsforderungen entworfen worden sein, aber kein anderes muss so stark an physikalische Elemente (Wind und Wasser) angepasst sein. Darüber hinaus wird das Design dieser Yachten nicht durch Anforderungen wie Bequemlichkeit verkompliziert, es muss nur darauf geachtet werden, dass den 17 Crewmitgliedern genügend Raum zur Verfügung steht, damit sie ihre Aufgaben erfüllen können.

Beim Entwurf von Gebäuden müssen wir komplexen und zuweilen widersprüchlichen Ansprüchen genügen. Wir bemühen uns immer, die unterschiedlichen funktionalen und technischen Vorgaben in einem kohärenten und singulären Entwurf anzuordnen. Wir können jedoch nur dann unseren Entwürfen einen Sinn und eine Idee verleihen, wenn es uns gelingt, unsere Aufgabe genau zu bestimmen und unsere Ansprüche zu klären.

Was die Schönheit dieser außerordentlichen Yachten gewährleistet, ist ihre einzigartige Zweckbestimmtheit und die Notwendigkeit, den Wind zu meistern. Die Entwicklung ihres Designs wird ausschließlich von der Suche nach der dynamischen Beziehung zwischen Segeln, Rumpf und Kiel bestimmt. Während wir allerorten auf ein Design stoßen, das von willkürlichen Stilvorgaben bestimmt wird, die vor allem Aufmerksamkeit erregen sollen, scheint das Design dieser schönen Objekte die Klarheit anderer Zeiten in Erinnerung zu rufen.

Obwohl wir diese funktionale Einzigartigkeit nicht einfach auf Aufgaben übertragen können, denen komplexere Kriterien zu Grunde liegen, können wir uns doch von ihrem Beispiel inspirieren lassen. Und obwohl wir auch oft den Verlust von Traditionen und Kunstfertigkeiten sowie den Austausch der traditionellen Werkstoffe durch neue (minderwertigere) Materialien beklagen, können wir an diesen Yachten sehen, wie die Anwendung neuer Techniken und Werkstoffe eine eigene Schönheit hervorbringt. Die durch die Entwicklung dieser Schiffe geförderten technischen Fortschritte kommen allerdings nur selten im Gebäudebau vor, wo technische Fortschritte und die Materialinnovation sehr viel langsamer vonstatten gehen, auf mehr Widerstände stoßen und eine geringere Originalität besitzen.

Für diejenigen unter uns, die wir eine Leidenschaft für den Segelsport und das Design empfinden, gibt es nur wenige Objekte, die so angenehm für Auge, Geist und Körper sind wie diese außerordentlichen Yachten des America's Cup. Wir müssen denjenigen, die sie entwerfen und segeln, sowie denjenigen, die mit der Austragung der 32. Ausgabe dieser außergewöhnlichen Regatta beauftragt sind, unsere ganze Hochachtung zollen.

RITA BARBERÁ NOLLA
Bürgermeisterin von Valencia

Eine StadtStadt hat die Zukunft im Visier

Wir Valencianer sind weltoffene Bürger, die entschlossen sind, ihren Elan, ihre Modernität und ihre Spitzenposition mit anderen Bürgern der Weltgemeinschaf zu teilen.

Vor vier Jahren beschlossen wir, uns als Gastgeber der 32. Ausgabe des angesehensten Segelwettbewerbs der fünf Kontinente - des America's Cup - zu bewerben, und wir schafften es. Heute haben wir uns mit der gleichen Entschlossenheit als eine der europäischen Städte mit dem größten touristischen, sozialen und kulturellen Bekanntheitsgrad konsolidiert.

Der America's Cup ist ein Ereignis von weltweiter Bedeutung, das Tausenden von Besuchern die Möglichkeit bietet, das neue Valencia kennen zu lernen, das wir heute stolz der Öffentlichkeit vorstellen können und das im Lauf seiner tausendjährigen Geschichte ein unverwechselbar fröhliches, kreatives, integratives und gastfreundliches Wesen entwickelt hat. Valencia ist eine Stadt, die die Essenz ihrer Vergangenheit bewahrt hat, eine prächtige Gegenwart besitzt und an der Verwirklichung einer exzellenten Zukunft arbeitet.

Die Ankunft der Teams in unserer Stadt hat alle Crewmitglieder, wie auch ihre Familien, nach und nach zu Valencianern gemacht. Die aus der Schweiz, den Vereinigten Staaten, Italien, Südafrika, Deutschland, China und Neuseeland eingetroffenen Sportler erleben tagtäglich, was es heißt, Valencianer zu sein, und nehmen einen immer aktiveren Anteil an unseren Sitten und Bräuchen.

Der America's Cup ist der Allgemeinheit zugänglich gemacht worden. Unser Dock ist in einen Ort verwandelt worden, der das Herz höher schlagen lässt. Es ist zu einem pulsierenden Ort geworden, an dem das Mittelmeer die gleiche Begeisterung auslöst, die vor 500 Jahren den großen valencianischen Dichter Ausiàs March zur Abfassung des Gedichts inspirierte, dessen Titel "Veles e Vents" dem emblematischsten Gebäude des Port America's-Cup seinen Namen gegeben hat.

Wir Valencianer sind dabei, den besten America's Cup der Geschichte zu veranstalten, und wir setzen alles daran, dass die Einrichtungen und Angebote des Port America's-Cup höchsten Qualitätsansprüchen genügen. Der Hafen ist ein Vergnügungsgebiet für alle und hat den Grundstein für den besten und schönsten Yachthafen des Mittelmeers gelegt: die Marina Real Juan Carlos I.

Das Dock, von dem heute die besten Crews der Welt an Bord der technologisch ausgeklügeltsten Yachten in See stechen, spiegelt auf hervorragende Weise das Valencia 2007 wider: eine fortschrittliche, kreative und vorzügliche Stadt, die sich definitiv dem Meer geöffnet hat.

OLIN J. STEPHENS

Yachtdesigner

Die Avantgarde als Tradition

Ich wurde 1908 geboren und interessierte mich als Zwölfjähriger kurz vor Austragung der 13. Ausgabe des America's Cup zum ersten Mal für das Rennen.

Der Erste Weltkrieg hatte die Reihen junger Männer in Großbritannien so stark gelichtet, dass die nächste Ausgabe erst 1930 ausgetragen wurde. Damals hatte ich bereits meine Laufbahn als Yachtkonstrukteur begonnen und auch das Glück, das mich mein ganzes Leben lang begleiten sollte, war mir schon hold gewesen. 1934, im Vorfeld der Austragung des 15. America's Cup, wurde ich in die Afterguard der "Weetamoe" aufgenommen, die an den Ausscheidungsrennen zur Ermittlung der Verteidigerin teilnahm. Obwohl wir scheiterten, hatte diese Erfahrung einen unermesslichen Wert für mich und führte letztendlich dazu, dass ich am Design der nächsten Verteidigerin teilnehmen konnte.

Mike Vanderbilt bat mich, zusammen mit Starling Burgess eine neue Yacht der J-Class zu entwerfen; aus diesem Projekt entstand dann die berühmte "Ranger". Bath Iron Works, eine heute noch existierende renommierte Werft, übernahm den Auftrag und stellte uns eine kleine Gruppe von Ingenieuren und technischen Zeichnern zur Verfügung, die uns bei diesem so speziellen Projekt unter die Arme griffen. Eine der Stärken von Vanderbilt bestand darin, stets die Besten zusammenzubringen, und so schuf er mit dieser Gruppe das erste Designerteam der Geschichte des America's Cup.

Für den Rumpf der "Ranger" wollten wir Stahl verwenden und für die Takelung eine neue Aluminiumlegierung. Um unsere wahren Absichten zu verbergen, wurde unser Projekt als Versuchszerstörer aus Aluminium für die US-Navy registriert. Unsere List und Tücke ging so weit, dass wir, um die Lüge glaubwürdig zu machen und die Werkstoffe auf angemessene Weise testen zu können, einen kleinen Teil der vorgeblichen Struktur des Aluminiumzerstörers bauten und ins Wasser ließen, um seine Rostbeständigkeit zu prüfen.

Ich will nicht weiter ausholen, deshalb beschränke ich mich auf den Hinweis, dass ich den überwältigenden Erfolg der "Ranger" den fortschrittlichsten Yachtbauentwürfen der damaligen Zeit und den Versuchen mit maßstabgerechten Modellen in einem Schlepptank zuschreibe.

Der Zweite Weltkrieg bewirkte eine erneute Unterbrechung des America's Cup. Der Fortbestand des Wettbewerbs war zum Teil der Entscheidung des New York Yacht Club zu verdanken, die Größe und Kosten der verwendeten Yachten zu rationalisieren. Von der mächtigen J-Class, deren Slups eine Gesamtkiellängen von bis zu 135 Fuß (45 Meter) erreichten, gingen wir zu den relativ kleinen Zwölfer-Yachten über, die kaum länger als 60 Fuß (20 Meter) waren.

Das Zeitalter der Zwölfer war eine neue glückliche Epoche für mich, da ich weitläufige Erfahrungen mit ihrem Design hatte. Die Zwölfer segelten in allen Ausgaben des America's Cup, die zwischen 1957 und 1983 etwa alle drei Jahre in Newport ausgetragen wurden. Mein Unternehmen Sparkman & Stephens entwarf fünf siegreiche Verteidigerinnen, von denen zwei jeweils zwei Ausgaben gewannen. Ich kann sogar zu meinem Glück behaupten, dass die Verliereryacht von 1983 kein Entwurf von S&S war.

Die Bemühungen, die auf den Verlust des America's Cup im Jahr 1983 folgten, waren zwar meiner Ansicht nach etwas chaotisch, trotzdem finde ich die Fortschritte, die seit damals gemacht wurden, wunderbar. Ich hoffe aber, dass ein anderer diesen Teil der Geschichte erzählen wird.

DYER JONES

Regattaleiter

Die Evolution einer Ikone

Bei seiner ersten Austragung nach dem II. Weltkrieg war der America's Cup zu einem kleinen Clubereignis für Eingeweihte zusammengeschrumpft. In den folgenden Jahrzehnten wuchs er wieder zu einem der wichtigsten Segelereignisse heran. Der Gewinn des America's Cup war für alle Nichtamerikaner jedoch lange Zeit nicht mehr als ein Traum, dem sie zwar hinterhersegeln konnten, der sich jedoch nicht in ihrer Reichweite befand. Trotzdem nahm das Interesse der ausländischen Teams an dem Ereignis immer mehr zu. Die wachsende Präsenz bekannter Persönlichkeiten, die technologischen Fortschritte und die zunehmende Begeisterung für den Segelsport bewirkten, dass der America's Cup schließlich seinen Status als die weltweite Spitzenregatta zurückgewann.

Und 1983 trat dann ein, was niemand für möglich gehalten hätte: Der Cup wurde von einem Herausforderer gewonnen.

Die darauf folgenden Auflagen wurden an Orten ausgetragen, die weit von New York entfernt waren, wo seit 132 Jahren um den Cupgewinn gesegelt worden war. Der Cup reiste nach Australien, Kalifornien, Neuseeland und schließlich auch nach Europa. Im Lauf seiner mittlerweile 155-jährigen Geschichte ist er nur von insgesamt fünf Segelclubs gewonnen worden. Man kann ihn also zu Recht als eine wirklich schwer zu erobernde Trophäe bezeichnen.

Seitdem Alinghi im März 2003 das neuseeländische Team besiegt hat und die Société Nautique de Genève zur Treuhänderin des America's Cup und zur Verantwortlichen der 32. Ausgabe geworden ist, sieht es so aus, als hätten wir die Aktivitäten der vorangegangenen 20 Jahre in die letzten 20 Monate zusammengedrängt: Wir haben eine Flotte von zwölf Schiffen der America's Club Class in vier verschiedene europäische Länder geführt. Wir haben Hunderte von America's-Cup-Regatten an diesen Orten ausgetragen. Wir haben bei den letzten zwölf Louis Vuitton Acts mehr Wettbewerb auf dem Wasser gesehen als je zuvor. Wir haben mehr Regattenstarts, mehr Seemeilen, mehr Austragungsorte und sehr viel mehr Fotofinishes als je zuvor gesehen. Die Zuschauerzahlen sind so hoch wie nie und niemals ist das Interesse von Fernsehen und Presse so stark gewesen.

Obwohl wir angesichts dieser Erfolge zufrieden sein können, steht das Wichtigste noch bevor: der Louis Vuitton Cup und das America's Cup Match. Das Tempo ist schnell, der Kampf wird härter und der Cup schreibt ein neues Kapitel seiner Geschichte.

BRAD BUTTERWORTH

Skipper Alinghi

Mein Weg zum America's Cup

Wenn wir am kommenden 23. Juni die Startlinie überqueren und das entscheidende Rennen zum erneuten Gewinn des America's Cup aufnehmen, werde ich nervös darauf achten, keinen Fehler zu begehen. Ich werde mich bemühen, meine Arbeit richtig zu machen, und darauf angewiesen sein, dass mein Team genauso verfährt. Wir werden alle in heller Aufregung sein.

In Neuseeland, wo ich aufgewachsen bin, wird das Segeln sowohl zum Zeitvertreib wie auch als Sport betrieben und der America's Cup gilt als das Gipfelereignis dieser Sportart. Er ist die härteste Regatta in der Welt der Segler, denn er erfordert wissenschaftliche Kenntnisse, Teamwork und eine natürliche Begabung. Aber die Mühe lohnt sich.

Mein Vater wies mich im Alter von fünf Jahren ins Segeln ein und vermittelte mir gute Grundkenntnisse in der Steuerung von Dinghis und Kielbooten. Ich entdeckte den America's Cup im Alter von neun Jahren, als ich ein Boot der P-Klasse segelte. Damals konnte ich nur davon träumen, eines Tages für ein ausländisches Team bei diesem Ereignis mitzusegeln, denn ich konnte mir beim besten Willen nicht vorstellen, dass Neuseeland genügend Mittel aufbringen würde, um einen Herausforderer zu stellen - ganz zu schweigen davon, die Regatta zu gewinnen!

Nachdem ich heute einige America's-Cup-Siege hinter mir habe, ist das Segeln für mich zu einer Lebensweise geworden, die mein Leben und das meiner Familie ausfüllt. Ich verliere aber nie die Tatsache aus den Augen, dass es ein Sport ist, an dem man Spaß haben muss, sonst sollte man sich besser etwas anderes suchen.

Zu den Höhepunkten der vergangenen Jahre gehörte meine Teilnahme im Team mit Russell Coutts 1992 sowie meine Teilnahme mit Team New Zealand in den Jahren 1995, 2000 sowie 2003. Auch das gewaltige Glück, mit so großen Namen der modernen Cup-Geschichte wie Dennis Conner und Tom Whidden gesegelt zu haben, gehört zu diesen Höhepunkten.

Nachdem ich nun schon 20 Jahre im America's Cup segle, ist meine ganze Aufmerksamkeit auf den Kampf um den Titelgewinn gerichtet, denn man hat nicht viele Gelegenheiten, so lange auf einem so hohen Niveau zu segeln. Deshalb lege ich mich auch in die Riemen, so lange ich die Möglichkeit dazu habe.

Ich habe immer darauf gesetzt, voranzukommen und keine Zeit mit Fehlern zu verschwenden. Man muss aus ihnen lernen und danach nach vorne blicken. So verfahren wir bei Alinghi und so werden wir auch im Juni verfahren, um erneut den America's Cup zu gewinnen.

JAVIER MARISCAL

Grafikdesigner

32, die Glückszahl

32 ist eine sinnliche Zahl, sie ist sehr hübsch und kurvenreich mit Ausnahme dieser geraden Linie der 2, die sie mit der gleichen Bestimmtheit vollendet wie ein Schlussschnörkel unter einer Unterschrift. Sie ist eine ästhetische Zahl, die man gern eigenhändig mit einem dicken Strich und weit ausholenden Bewegungen des Handgelenks zeichnet, um ihre Schlangenlinien zu genießen, ihre Umrisse auszufüllen und ihre Kurven so weit wie möglich auszudehnen. Sie ist eine Zahl, die sich von selbst verkauft, eine dieser Zahlen, die wir auf einem Lotterielos sehen und unwillkürlich kaufen, nur weil sie eine schöne Zahl ist, von der wir erhoffen, dass sie uns Glück bringen wird.

Die Zahlen besitzen wie die Buchstaben ein eigenes Wesen und Erscheinungsbild; das eine ist so wichtig wie das andere, vor allem für jemanden, der sich dem grafischen Design widmet. 3 und 2 sind Zahlen, deren Graphie zahllose Ausführungen zulässt. Ohne ihr Wesen zu verlieren, können sie dick, dünn, informell, formell, dynamisch, statisch, aktuell, revidiert, ernst oder vergnügt gezeichnet werden. In all ihren Formen bewahren sie ihre Bedeutung. Im Leitbild des America's Cup bezeichnet die 32 eine bestimmte Zeit und einen bestimmten Ort.

Die 32 erscheint auf dem Logotyp der diesjährigen Ausgabe des America's Cup geradezu wie ein Symbol, das die Marke America's Cup begleitet. 32 ist eine ganze Menge, vor allem, wenn diese Ziffer sich auf die Summe der Ausgaben eines Sportwettbewerbs bezieht. Die Zahl 32 als solche, ihrem Wesen nach, drückt Tradition, Alter, Prestige, eine lange Vergangenheit, eine große Gegenwart und eine wahrscheinliche Zukunft aus. Dieser symbolische Wert der Zahl 32 ist einer der Wesenszüge des grafischen Bildes dieser Veranstaltung, ein Bild, das auch Nutzen aus dem legendären Ruf des Wettbewerbs zieht.

Die Bilder vom 32.-America's-Cup-Projekt erzählen die Geschichte einer prestigereichen, exklusiven und gleichzeitig sehr medienwirksamen sportlichen Herausforderung. Ihre warmen Farbtöne sprechen vom Mittelmeer, von Valencia, von den valencianischen Obst- und Gemüsegärten und den Lagunen. Die kräftigen und gestenreichen Striche zeugen von einer Sportlegende, die viel mit Kunst zu tun hat. Der Rhythmus der Komposition erläutert die Kraft, die frenetische Aktivität der Crews, die Wettbewerbsfähigkeit und die Geschwindigkeit. Die quasi abstrakten Fotocuts sind eher Ausdruck als Illustration der avantgardistischen Technologie, die die fantastischen Teilnehmeryachten antreibt. Die Graffitisprache ist eine Einladung an junge Menschen sowie an diejenigen, die sich bisher nicht für dieses nautische Abenteuer interessiert haben.

Jede grafische Geste, jedes Bild, jede Linie und jedes Objekt dieses Projekts sind wie ein Satz, ein Adjektiv oder ein Wort benutzt worden, die nach und nach eine kohärente Rede bilden, mit der alle Werte der 32. Auflage des America's Cup vermittelt werden sollen. Wenn das Publikum diese Rede versteht, wenn es von ihr motiviert und mitgerissen wird, dann wird es ein gutes Bild sein, das eine gute Geschichte erzählt. Dazu ist nun einmal das grafische Design gut.

DER CUP

1 Der 100 Guineas Cup, der 1851 zum ersten Mal vom Schoner America gewonnen wurde, ist die älteste Sporttrophäe der Welt.

2 Alinghi und sein Syndikatschef Ernesto Bertarell schrieben am 2. März 2003 Geschichte, als das Schweizer Team das Team New Zealand in Auckland schlug.

3 Genf ist die europäische Heimat zahlreicher UN- und Wohltätigkeitsorganisationen: der Welthandelsorganisation, der Weltgesundheitsorganisation, der Internationalen Arbeitsorganisation, des Internationalen Komitees vom Roten Kreuz... und seit 2003 des America's Cup.

4 Valencia ist der Sitz des 32. America's Cup und die Welt kann nun die alte Handelstradition der Stadt und solch emblematische Gebäude wie die Llonja, die alte Seidenbörse, entdecken.

5 Der Hafen von Marseille markierte 2004 den Auftakt zum 32. America's Cup.

6 Italien wurde mit der Austragung der Trapani Louis Vuitton Acts 8 & 9 zum vierten europäischen Gastgeberland einer Regatta des America's Cup.

7 Zwei Siegessymbole in Paris: der Arc de Triomphe und der America's Cup.

8 Der America's Cup und der Louis Vuitton Cup an der 6.350 Kilometer langen Großen Mauer. Der 32. America's Cup ist die erste Auflage, an der ein chinesischer Herausforderer teilnimmt.

9 Die wichtigsten Segeltrophäen im Parque del Retiro in Madrid gegenüber der Statue von Alfons XII., dem Urgroßvater des heutigen spanischen Königs Don Juan Carlos.

10 Der America's Cup scheint die großen Veränderungen zu bestaunen, die New York durchlaufen hat - jene Stadt, die in den 132 Jahren zwischen 1851 und 1983 seine Heimat war.

11 Der Olympiapark von München ist ein architektonisches Meisterwerk und der America's Cup eine monumentale Trophäe. Deutschland nimmt zum ersten Mal am Wettbewerb teil.

12 "Valence!". Als Valencia am 26. November 2003 zum Sitz des 32. America's Cup gewählt wurde, brach in der ganzen Stadt Jubel aus.

ARCHITEKTUR UND DESIGN

1 Zwischen November 2003 (Bildkasten) und Juni 2006 wurden die notwendigen Umbauarbeiten durchgeführt, um Valencia zum Meer hin zu öffnen und damit das wichtigste Sportlertreffen in der Geschichte der Stadt austragen zu können.

2 10.500 Quadratmeter Freizeit, Stil und minimalistische Kunst. Die vier Stockwerke des Bauwerks Veles e Vents stellen eine komplexe Verschmelzung von Architektur und Fantasie dar.

3 Das von David Chipperfield und Fermín Vázquez entworfene Gebäude wuchs in einer achtmonatigen Bauzeit zum architektonischen Eckpfeiler des 32. America's Cup heran.

4 Der Boden wird dergestalt aufgeklappt, dass ein Teil im rechten Winkel ansteigt und sich der nächste parallel zur Ebene anordnet, um Raum für eine neue Senkrechte zu schaffen. (Julio Cortazar, Anleitungen, um eine Treppe hinaufzugehen.)

5 Die scheinbare geradlinige Schlichtheit von Veles e Vents ist das Ergebnis einer komplexen Ingenieursarbeit.

6 Diejenigen, die 1910 die Geräteschuppen des Hafens von Valencia errichten ließen, konnten nicht ahnen, dass diese 97 Jahre später die Hafenanlage mit den besten Crews der Welt teilen würden.

7 Die Teamstützpunkte verbergen die am besten gehütetsten Geheimnisse der Wettkampfteilnehmer: das Design der Schiffe, ihre Rennstrategien und ihren Schlachtplan.

8 Die Teamgebäude strahlen eine eigene Persönlichkeit aus. Hier eine Ausschnittsaufnahme der Teakholzfassade des United Internet Team Germany.

9 Die Farbpalette des 32. America's Cup ist endlos. Desafío Español 2007 ist das grüne Team.

10 12 Teams, 12 Hauptquartiere, das Heim von mehr als 1.500 Profis.

11 Der Port America's Cup scheint ruhig in der Abenddämmerung zu liegen, aber hinter den Toren des Stützpunkts von BMW ORACLE Racing wird pausenlos gearbeitet.

12 Viel Klasse und Champagner, um im exklusivsten Bereich der Stützpunkte auf den Sieg anzustoßen.

13 Der Gästebereich des Mascalzone Latino – Capitalia Team erwartet die Ankunft seiner Besucher. In einigen Stunden werden alle gespannt die Regatta verfolgen.

14 Auf dem Alinghi-Stützpunkt wurde nichts dem Zufall überlassen. An der Decke befindet sich das Anagramm, am Boden die Teamfarben und im Hintergrund das Team selbst.

15 Renzo Piano schuf für die Basis von Luna Rossa ein lebendiges Werk, das an ein Gedicht von Federico García Lorca erinnert: „Wenn der Mond aufgeht, das Meer die Erde bedeckt und das Herz sich als Insel in der Ewigkeit fühlt."

16 Der Drachenschwanz ragt über dem Gerüst an der Basis des China Teams hervor.

17 Mascalzone Latino bedeutet "Latino-Strolche", aber dieses Team ist alles andere als ein Witz, es ist nach Valencia gekommen, um zu siegen.

18 Mit dem klaren Ziel des Titelgewinns vor Augen hat das deutsche Team in langen Arbeitstagen sein Basiscamp aufgebaut.

19 Ein großer Stützpunkt und mehr als 100 Menschen, die in seinem Inneren arbeiten, damit die 17 Crewmitglieder der spanischen Yacht den Himmel stürmen können.

20 Die Angriffslust des schwedischen Teams wird durch sein schwarzes Outfit symbolisiert.

21 Frankreich hat bei seinem zehnten aufeinanderfolgenden Anlauf zur Eroberung der großen Trophäe hingegen auf ein diskretes Grau gesetzt.

22 Neuseeland hat nicht mit Mitteln gegeizt und ist wortwörtlich um den halben Erdball gesegelt, um den Verlust vor vier Jahren wettzumachen.

23 Die Basis von Luna Rossa ist harmonisch mit 485 Leinwänden bedeckt, die aus den Segeln angefertigt wurden, die im Louis Vuitton Cup 2002/2003 im Einsatz waren.

24 Form, Funktionalität und Technologie geben sich bei BMW ORACLE Racing ein Stelldichein.

25 Das Team Shosholoza stellt eine Nation, ein Team und einen Traum dar.

26 Der italienische Herausforderer +39 Challenge kann mit einem Wort definiert werden: Aufopferungswille.

27 Der Alinghi-Stützpunkt ragt mit seinen 9.375 Quadratmetern mit aller Macht aus dem Port America's Cup heraus.

MENSCHEN

1 Valencia: eine ganze Stadt steht hinter dem 32. America's Cup.

2 Die Terrassen von Veles e Vents sind ein unschlagbarer Aussichtspunkt zur Verfolgung der Rennen.

3 Für Trapani war der Besuch des 32. America's Cup ein einzigartiger Höhepunkt.

4 Ein Loblied auf die mehr als tausend freiwilligen Helfer und Helferinnen des 32. America's Cup.

5 Zwei Segelfans testen einen Grinder im Simulator des America's Cup Park.

6 Wie in jeder Sportanlage ist die Sicherheit des Publikums ein unbedingtes Muss.

7 Mit ein wenig Phantasie kann man sich in einen der besten Skipper der Welt verwandeln.

8 Die Zukunft blickt auf die Gegenwart und somit auf einen Traum.

9 America's Cup Park: Freizeitspaß für jedermann.

10 Das Ganze begann als ein Spiel und ist heute die angesehenste Trophäe der Welt.

11 Die Wartung der Yacht ist eine wesentliche Aufgabe für ein Team des 32. America's Cup, denn diese Maschinen sind extrem empfindlich.

12 Eine gute Vorbereitung ist das A und O, denn der Weg ist lang und hart.

13 Das klassische Bild einer America's-Cup-Crew, die mit all ihrer Kraft die Winschkurbeln dreht.

14 Bekannte Persönlichkeiten aus verschiedenen Ländern werden vom Ruf des America's Cup angezogen.

15 Jeden Tag arbeiten Hunderte von Menschen daran, dass der America's Cup in der ganzen Welt gesehen werden kann.

16 Es gibt kaum etwas Schöneres, als den Sport mit der Familie zu genießen.

17 Farbe, Licht und Design schaffen eine gute Arbeitsatmosphäre in den Anlagen des 32. America's Cup.

18 Am Ende des Regattatags erläutern die Crewmitglieder die Ereignisse des Renntages mit den Kommunikationsmedien.

19 Iain Percy, Brad Butterworth, Sébastien Col, Dean Barker, Jesper Bank, Magnus Holmberg, Pierre Mas, Chris Dickson, Luis Doreste, Mark Sadler, Vasco Vascotto und Francesco de Angelis.

20 Glanz, Stil, Exklusivität, Avantgarde..., der Foredeck Club des 32. America's Cup ist zweifellos der Ort schlechthin, um zu sehen und gesehen zu werden.

TECHNOLOGIE

1 Der Kiel einer Yacht im America's Cup besteht aus einer 20 Tonnen schweren Blei- und Antimonlegierung, die den Druck des Windes auf die Segel ausgleicht.

2 24 Meter lang, vier Meter breit und 35 hoch... eine kraftvolle Segelmaschine.

3 Die wassergängigen Flächen einer America's-Cup-Yacht werden so glatt wie möglich poliert; ein geringerer Reibungswiderstand bedeutet eine höhere Geschwindigkeit.

4 Die Teams hieven ihre Yachten jeden Nachmittag aus dem Wasser. Die Operation wird mit äußerster Sorgfalt ausgeführt, denn bei ihr stehen eine Investition von Millionen von Euro und Tausende von Arbeitsstunden auf dem Spiel.

5 Nach jedem Segeltag werden die Segel getrocknet, überprüft und ausgebessert. Ein kleiner Riss kann den Sieg kosten.

6 Die erfahrensten Crewmitglieder suchen jeden Zentimeter nach Mängeln ab.

7 Die Wanten halten den Mast seitlich und sind unglaublichen Zug- und Druckkräften ausgesetzt.

8 Ein America's-Cup-Mast: mehr als 33 Meter Kohlefaser, Sensoren und Stahlkabel.

9 Die Designerteams des Syndikats Luna Rossa und des Emirates Team New Zealand haben sehr unterschiedliche Buglösungen gefunden.

10 Die Kielbombe der USA 87 von BMW ORACLE Racing löste Spekulationen darüber aus, dass sich unter dem Wasser etwas Revolutionäres verbergen könnte.

11 Was macht dieses Schiff nur so schnell?

12 Die ITA 77, die GER 72 und die ITA 59: drei Schiffe, die zu den Vorgängergenerationen des 32. America's Cup gehören. Wie stark sich diese Schiffe doch in wenigen Jahren weiterentwickelt haben!

13 Die beiden Heckstagen sind in der Lage, von einer Sekunde auf die nächste eine Spannung von zwölf Tonnen auszuhalten; während das eine sich schlagartig entspannt, wird das andere so hart wie Stahl.

14 Ausschnittsaufnahme eines baums, der so schwarz ist wie die Kohlefaser, aus der er besteht.

15 Das Empfangssystem der meteorologischen Daten beeinflusst die Gestalt der Boote.

16 Es gibt kein moderneres Takelwerk als die Takelage der America's Cup Class.

17 Die Backstagen sind überaus wichtig, denn sie dienen zur Absteifung des Masts. Wenn das Crewmitglied einen Fehler beim Trimmen begeht, kann der Mast brechen.

18 Der Genuatrimmer kümmert sich darum, dass das Vorsegel perfekt eingestellt ist, dazu benutzt er diese Kevlar-Kohle-Trommel, die Winsch genannt wird.

19 Das Hauptsegel wird über den Winkel des baums eingestellt, sein Trimmen stellt hohe Anforderungen, weshalb nur die erfahrensten Crewmitglieder damit beauftragt werden.

20 Die Winschkurbeln oder Grinder erfüllen vielfältige Aufgaben, sie müssen vor allem aber so schnell wie möglich gedreht werden.

21 Windstärke und -richtung, Segeltrimm, Bootsgeschwindigkeit und zahllose andere Faktoren müssen stimmen, um an die Spitze zu segeln.

22 Das Regattafeld ist mit Bojen übersät, die meteorologische Daten empfangen und sie an die Teamexperten weiterleiten, damit diese die Wind- und Strömungsbedingungen des Renntages vorhersagen können.

23 Ein Kameramann justiert das Objektiv, das sich an Bord von einer der Yachten befindet, die live vom Rennen berichten.

24 Wer vorne liegt, wie groß sein Vorsprung ist, wo er sich gerade befindet, wie viel Zeit zum Erreichen der Ziellinie bleibt, all diese Informationen – und viele andere mehr – können über Internet abgefragt werden.

25 Selbst die kleinste Einzelheit der Übertragung ist bis auf die Millisekunde genau gesteuert.

26 Wie wäre es um den America's Cup bestellt, wenn er nicht in Hunderten Millionen von Heimen mitverfolgt werden könnte?

EINE INTERNATIONALE ROUTE

1 Der 32. America's Cup ist die internationalste Ausgabe in der Geschichte des Wettbewerbs, unter anderem deshalb, weil 2000 Tonnen Equipment in vier europäische Austragungsorte verschifft wurden.

2 Im Jahr 2004 musste Emirates Team New Zealand dringend eine Yacht von Neuseeland nach Valencia schicken. Der Schiffsrumpf hätte um ein Haar nicht in den Laderaum des Flugzeugs gepasst.

3 Afrika, Europa und Asien – drei Kontinente segeln auf einem einzigen Schiff.

4 155 Jahre nach der ersten Regatta vor der englischen Küste ist Europa erneut der Austragungsort des Rennens.

5 Der Marseille Louis Vuitton Act 1 war die erste Vorbereitungsregatta des 32. America's Cup.

6 Sechs Teams nahmen in Frankreich teil: ein brillanter Auftakt.

7 Die Eröffnungsfeier der Valencia Louis Vuitton Acts 2 & 3 war Aufsehen erregend. Die Gastgeberstadt bereitete den Crewmitgliedern einen herzlichen Empfang.

8 Die Valencianer spendeten dem Alinghi-Syndikat stürmischen Beifall, denn es war dafür verantwortlich gewesen, dass das Ereignis in ihrer Heimatstadt ausgetragen werden konnte.

9 Hunderte von Zuschauerbooten stechen jeden Regattatag in See, um die raffiniertesten Segelyachten der Welt in Aktion zu sehen.

10 Mit seinen mehr als 900.000 Quadratmetern ist der Port America's Cup die größte Hafenanlage der Welt, die jemals für einen Schifffahrtswettbewerb gebaut wurde.

11 Segeln in den silbernen Gewässern von Malmö-Skåne (Schweden, August 2005).

12 Die Flottenregatten sind eine der Neuheiten des 32. America's Cup und ein verblüffendes Schauspiel.

13 Die Teams berichten heute noch über die einzigartige Atmosphäre in Trapani (Sizilien, September und Oktober 2005): die Teams arbeiteten Seite an Seite und griffen sich gegenseitig unter die Arme...

14 Die Sonne geht hinter der Insel Favignana unter, mal sehen, was der morgige America's-Cup-Renntag bringt.

15 Das Stadtzentrum von Trapani verwandelte sich eine Nacht lang in ein großes

Restaurant, in dem Hunderte von Gästen die Trapani Louis Vuitton Acts 8 & 9 feierten.

16 Die Amerigo Vespucci bewacht die Regatta, um deren Sieg BMW ORACLE Racing und Mascalzone Latino – Capitalia Team kämpfen.

17 Ein Kunstwerk der Navigation.

18 Der Titelverteidiger Alinghi und der erste Herausforderer BMW ORACLE Racing beim letzten Rennen des Match-Race der Louis Vuitton ACC Saisonmeisterschaft 2005.

19 Bis zur Ankunft des 32. America's Cup war die „Stadt der Künste und Wissenschaften" die Hauptattraktion Valencias.

20 Der Fortschrittswille der Valencianer drückt sich in architektonischen Projekten wie dem Palau de les Arts Reina Sofía aus.

21 Das Oceanogràfic ist eine der Juwelen der Cup-Hauptstadt.

22 Der Port America's Cup hat Valencia zum Meer hin geöffnet.

EMOTION

1 Zwei 24 Meter lange Yachten mit 17 Crewmitgliedern an Bord kämpfen um die Führung vor dem Startsignal; ein unglaubliches Schauspiel von Geschicklichkeit und Präzision....

2 ... die Boote ziehen Kreise, jedes verfolgt das Heck des anderen.. Die Schlacht hat begonnen!

3 Emirates Team New Zealand setzt BMW ORACLE Racing wenige Meter vor Ankunft an der Luvmarke unter Druck. Das ist Matchrace!

4 Drei.. zwei... eins...!" Die Regattateilnehmer beschleunigen in Richtung auf die Startlinie. Das Rennen beginnt!

5 Der America's Cup ist von einer einzigartigen ästhetischen Schönheit und jede Yacht ist ein 24 Tonnen schweres Kunstwerk.

6 Die Schiffe sind mit elektronischen Systemen beladen, die jede Sekunde Tausende von Daten erfassen. Um zu wissen, wo sich der Wind auf der Rennstrecke befindet, ist es jedoch immer noch am besten, einen Mann auf den Mast zu schicken.

7 Der Stratege am Mast observiert das Regattafeld, während der Gastals 18. Mann einen unvergesslichen Tag genießt.

8 Die nonverbale Kommunikation ist wesentlich für die Crew. Der Vorschiffsmann sagt hier zum Skipper: „Das Boot ist zu schnell und läuft Gefahr, die Linie zu früh zu überschreiten."

9 Gegen den Wind, weg vom Wind, Genua und Großsegel... Genua runter, Spinnaker hoch... Spinnaker und Großsegel.

10 12 Teams aus 10 Ländern und 5 Kontinenten. Es gibt keinen Zweiten, nur einen Gewinner.

11 Zeit und Entfernung. Die Vorschiffsmänner signalisieren die Entfernung bis zur Startlinie, das Manöver wurde jahrelang wiederholt, bis es perfekt klappte.

12 Genau wie der Schoner America im Jahr 1851 sind auch die Yachten des 32. America's Cup die ausgefeiltesten Yachten ihrer Zeit.

13 Das Setzen des Spinnakers an der Luvmarke ist ein kritischer Moment und Luna Rossa Challenge ist eines der Teams, das dieses Manöver am besten beherrscht.

14 Nur die Natur kann die Eleganz einer Yacht im America's Cup in den Schatten stellen.

15 Vor zweitausend Jahren war das Mittelmeer das römische „Mare Nostrum". Heute ist Italien mit seinen drei Herausforderern das Land mit den meisten Teilnehmerteams.

16 Der Drachen des China Teams ist ein Symbol dafür, wie weit der 32. America's Cup gekommen ist. Eine aufstrebende Weltmacht ist gekommen, um zu bleiben.

17 +39 Challenge kompensiert die Geschwindigkeitsdefizite seines nicht mehr ganz neuen Boots mit einigen sehr riskanten und aggressiven Manövern.

18 Desafío Español 2007 und Mascalzone Latino haben außerordentlich intensive Zweikämpfe ausgetragen.

19 In Höchstgeschwindigkeit zur Startlinie: Die Crew der Vasco Vascotto hat ganze Arbeit geleistet und Jesper Bank und sein Team hinter sich gelassen.

20 Valencia ist schon immer ein sehr wohlhabender Handelshafen gewesen; der America's Cup hat ihn nun auch in die Sportelite gehievt.

21 Das China Team ist die Realisierung eines Traums und der Beginn eines noch viel ehrgeizigeren.

22 Team Shosholoza repräsentiert die Werte des neuen Südafrikas. Die Seele und Leidenschaft eines ganzen Landes sind mit an Bord.

23 Seit dem 2. März 2003 hat es für das Emirates Team New Zealand nur ein Ziel gegeben: die Wiedereroberung der Trophäe, die ihnen Alinghi entrissen hatte.

24 Schwerter in die Luft - die Crews sind kampfbereit.

25 Die GER 72 vom United Internet Team Germany und die SUI 75 von Alinghi segeln Bug an Bug.

26 Konzentration, Kraft, Gleichgewicht, Disziplin, Wissen, Druck, Taktik... eine Momentaufnahme des America's Cup.

27 BMW ORACLE Racing ist nach Valencia gekommen, um den Vereinigten Staaten zurückzugeben, was ihnen 132 Jahre lang gehörte. Der europäische Cup-Verteidiger Alinghi ist entschlossen, ihn zu behalten.

28 Der Vorschiffsmann führt jede Bewegung mit dem Geschick eines Akrobaten und der Präzision eines Chirurgen aus. Ein falscher Schritt und das Rennen ist gelaufen.

29 Ein Spinnakersegel könnte zwei Tennisplätze bedecken und ist so fein wie Seidentuch.

30 Wenn die Schiffe leewärts segeln, versucht das Verfolgerteam immer seinem Vordermann den Wind aus den Segeln zu nehmen, damit dieser langsamer wird und es ihn überholen kann.

31 In den Gewässern vor Malmö-Skåne taucht ein U-Boot auf, um die Regatta zwischen dem Cup-Verteidiger Alinghi und dem lokalen Team Victory Challenge zu genießen.

32 Der allerkleinste Fehler und der Wind wird das Segel so stark aufblähen, dass es platzt.

33 Die 500 Quadratmeter des Spinnakers blähen sich wie ein riesiger Ballon auf; das Segeltuch ist einer tausend Kilo schweren Spannung unterworfen.

34 Der Taktiker der Shosholoza zeigt seinem Rivalen, der Probleme am Mast hat, die Protestflagge.

35 Emirates Team New Zealand und Alinghi drehen ihr Heck in den Wind, Mascalzone Latino und el Desafío Español segeln hart am Wind.

36 Arbeit, Arbeit, Arbeit... 12 Mannschaften, 204 Mann, geben ihr Letztes.

37 Spinnakerbaum, Bug, Stagen, Gennaker, Wetterfahne, Kreuzkopf, Wanten, Batten (Segellatten) und Wasser.

38 Der Spinnaker ist gesetzt, die Genua muss eingezogen werden, wir drehen das Heck in den Wind!

39 Sollte der Spinnaker Wasserkontakt bekommen, kann es passieren, dass er mit Meerwasser überspült wird und das Boot zum Stehen bringt...

40 ...deshalb führt die Crew das Bergemanöver so schnell wie möglich aus.

41 Am Leetor beendet die Flotte den leewärtigen Streckenabschnitt und bereitet sich auf die zweite Runde gegen den Wind vor...

42 Die Crews der französischen Areva Challenge und der südafrikanischen Shosholoza bereiten den Spinnakerbaum vor, um die Boje zu runden, als wären sie zwei mittelalterliche Ritter, die ihre Lanzen zu einem Lanzenstechen anheben.

43 Zwei Crewmitglieder erklimmen den Mast in Höchstgeschwindigkeit. Ihre Aufgabe besteht darin, die Änderungen der Windrichtung und -geschwindigkeit ausfindig zu machen, um ihrem Team einen Vorsprung zu verschaffen.

44 Der Augenblick, an dem sich zwei Boote kreuzen, gehört zu den aufregendsten Momenten der Regatta und kann einem der beiden Teams zu einem klaren Vorsprung verhelfen.

45 Vergangenheit, Gegenwart und Zukunft: Wohin segelt der America's Cup?

46 Es gibt keine Atempause, und die Teams, die bereit sind, alle Grenzen zu überwinden, um den Sieg zu erreichen, werden sich von den harten Bedingungen nicht aufhalten lassen.

47 Yves Carcelle, Präsident von Louis Vuitton, übergibt Chris Dickson, Skipper und CEO von BMW ORACLE Racing, die Siegertrophäe des Marseille Louis Vuitton Act 1.

48 Jochen Schümann, Sportdirektor von Alinghi, nimmt aus den Händen von Bruno Troublé die Siegertrophäe der ACC Louis Vuitton Saisonmeisterschaft 2005 entgegen.

49 Christine Bélanger, die America's Cup-Beauftragte von Louis Vuitton, übergibt Chris Dickson die Siegertrophäe des Valencia Louis Vuitton Act 10.

50 Vincenzo Equestre, Generaldirektor von Louis Vuitton España, neben Brad Butterworth, dem Skipper der Alinghi und Sieger des Valencia Louis Vuitton Act 11.

51 Dean Barker und Grant Dalton heben die Siegertrophäen des Valencia Louis Vuitton Act 12 und der ACC Louis Vuitton Saisonmeisterschaft 2006 in die Höhe.